毎日が
もっと輝く

みんなの
ノート術

日本能率協会マネジメントセンター

CONTENTS

※本誌掲載の店舗情報は、通常営業日・時間を掲載しています。臨時で営業時間短縮、休業している店舗もございます。あらかじめご了承ください。
ホームページ等の情報をご確認の上、ご来店ください。また、商品の品切れ・欠品の際はご容赦ください。

それだけじゃありません。ノートや手帳の工場に潜入したり、製本技法でノートを作ってみたり、ハンドレタリングの練習ページがあったり……。

この本を読み終わったころにはきっと「真似したいな」「私もやってみたい!」と思うはず。そんなあなたは、ぜひノート上級者たちのテクニックを参考に、自分だけのとっておきノートを作ってみてください。

はじめに

　この本では、モデルのKanocoさん、お笑い芸人の向井慧さん、文具プランナーの福島槙子さんのノートにまつわるスペシャルインタビューをはじめ、総勢22名のインスタグラマーの素敵なノート術をご紹介。

　おいしいものを食べた思い出や旅行の思い出。読書の記録だったり、子どもの成長記録だったり。さまざまなテーマのノート1冊1冊に素敵なノート術が詰まっています。

　ほかにも、ノートライフを楽しむための情報が盛りだくさん。ノートカタログや最新文房具、万年筆インクまで、きっとほしくなっちゃうアイテムたちを紹介します。

profile

Kanocoさん

モデル。リンネル、ONKUL、OZ-magazineなど多くの雑誌でモデルを務めており、CMやミュージックビデオにも出演。

アパレルブランドとのコラボレーションなども行い、精力的に活躍の幅を広げている。

著書に『カノコノコト』（宝島社）。

無類のシロクマ好き。

Instagram：@kanococo

Special Interview 1

モデル

Kanocoさん

何気ない1日を1ページにぎゅっとまとめるのが好き

仕事前に喫茶店に立ち寄りゆっくり日記を書く時間

日記を書き始めたのは5年ほど前。1日1ページ、その日にあったことを記録しています。誰とどんな仕事をしたかを書くこともありますし、その日食べたご飯のことしか書いてないときもあります（笑）。

子どものころから手紙を書いたり日記を付けたりするのが好きだったので、その延長線上に今の日記があるのかもしれません。自分に向けての何かをずっと綴っているような気がします。

日記は仕事の前後に書きますが、1週間分をまとめて書くことも（笑）。スマートフォンで撮った写真を見ながら、その日を思い出して書いています。日記を書く場所は喫茶店が多いですね。慌てるのが苦手なので、1時間前には仕事先に着いて、安心してコーヒーを飲んだりご飯を食べたりしたいんです。ザ・喫茶店みたいな、レトロな感じの静かなお店が好きですね。

頭の中から手帳に移し
すっきりさせて次の仕事へ

ほぼ日手帳
Planner

ドイツのぬいぐるみメーカー「シュタイフ」とブランド「アーツアンドサイエンス」がコラボした手帳。両方のブランドが大好きなので、私にとっては夢のコラボなんです。
去年は1月1日に「あけましておめでとうございます」と縦書きで書いてしまい、そこから1年間縦書きになりました（笑）。今年は横書きに戻りましたが、写真が少なく文字だらけです。

撮影で撮ってもらったポラロイド写真やパンフレットの切り抜き、美術館のチケットなどを貼り付けているので、手帳が厚くなってしまうことも。「捨てたくないけど、残しておくほどではないかも……」と思ったときに日記に貼ることが多いです。マスキングテープも好きなのですが、場所を取ってしまうので、両面テープを愛用しています。

その日の自分がすっきりするために書いているので、以前のノートを見返すことはほとんどありません。人に見せられるページが本当に少ないんです（笑）。以前は書き終えた日記を捨てることもあったのですが、ほぼ日手帳にしてからはアルバムのようになってきたので、捨てるのがもったいなくて取ってあります。

毎日違う人に会って、毎日違うお仕事をするので、「この仕事ではどのカメラマンさんに会ったんだっけ？」と記憶がごちゃごちゃして思い出せなくなってしまうのが嫌なのですが、日記に書くとだいたい覚えているんです。その日にあったことや思ったことを書き出して、頭の中から手帳に移し、脳みそをちょっと空けるようなイメージですかね。頭の中を整理整頓してから、まっさらな気持ちで次の仕事に向かうことが、私の中ではすごく大事です。

日記を書くことは、写真を撮ることに少し近い気がします。私はもともと思い出を大事にしたいタイプなので、写真を撮るのと同じように、ノートに綴ってその日のことを残しておきたいんです。刺激的なことがあれば覚えていられますが、なんてことのない普通の日々のことは忘れてしまいがちなので、食べたものでも書いておいて、その1日に起きたことを記録しておくようなイメージですね。1日のことを1ページにぎゅっとまとめるのが好きなんだと思います。

Kanocoさんのお気に入りアイテム

上：PIX ブルー ボールペン（モンブラン）、
下：ジェットストリーム 3色ボールペン（uni）

ボールペンは2本持ち歩いています。ほぼ日手帳は紙が薄くて方眼も細かいのですが、ほぼ日手帳の特典でついてくるジェットストリームのボールペンは細くて書きやすく、ほぼ日を書くのに最適なんです。
もう1本はモンブランのボールペン。ちょっと高いボールペンを初めていただいたので、大事に持ち歩いています。

「現場監督」という名前の、工事現場用フィルムカメラをいつも持ち歩いています。自分が撮った写真の裏に手紙を書いたり、手紙に写真を入れたりすることもあります。

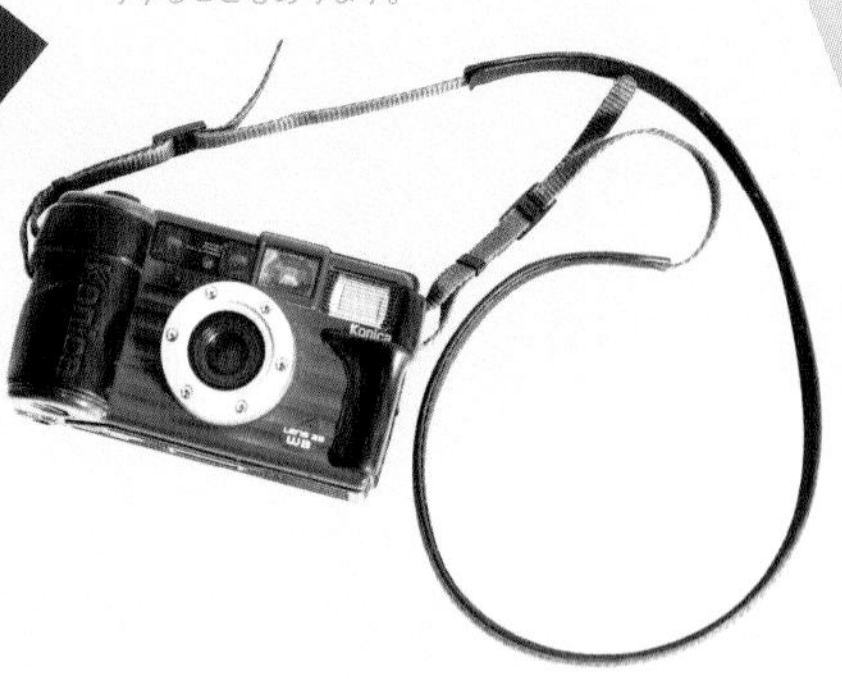

誕生日や記念日には手紙を書くことが多いので、便せんやポストカードを集めています。シロクマが大好きで、シロクマモチーフのものばかり。友人と誕生日プレゼントを贈り合っているので、そのときにはいつも手紙を添えています。主人とも記念日にはお互い手紙を出し合っていて、口で言うと恥ずかしいことを書いています。手紙なら、ちょっとクサいことを書いてもいいんじゃないかな。

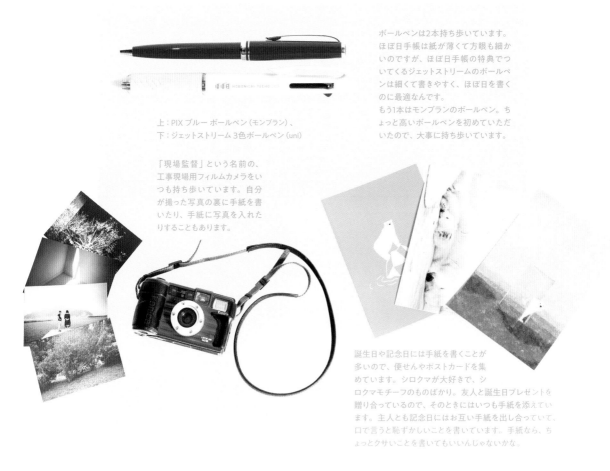

1

SNSは自分以外の人に、日記は自分に向けた言葉

スケジュールはiPhoneと手帳の両方に書いて管理しています。アナログ派というより、機械に弱いだけなんですけど(笑)。写真を撮るときもフィルムカメラを使っているのですが、ボタンをひとつ押したら撮れるという、わかりやすいところが好きなんです。スーパーに行く前も、買うもののリストはスマホではなく紙にペンで書きます。面倒くさいはずなのに、なぜか手書きの方が身近で気楽なので、不思議ですね。

　デジタルのSNSと手書きのノートは、私にとっては全く違うものです。ブログはモデルを始める前も含めて10年ほど続けていますし、TwitterやInstagramなどのSNSもひととおりやっていますが、それはファンの方や友人、家族など、自分以外の人に向けた言葉を書くもの。日記に書いているのは自分だけに向けた言葉なんです。そのどちらも大事ですね。見ている人がいると思うと、使う言葉も変わってきます。でも、「自分しか見れないブログをもうひとつ作って日記を書く」というのはなんだか違う気がします。きっと単純に、書くことが好きなんでしょうね。

　日記には空いているページもありますし、雑なページもあります。「絶対に毎日書く」と決めると大変になってしまいますし、ルールがあるといやになって続かないので、書くときの決まりは一切設けず、好き勝手に書いています。自分にできる範囲で、無理なく続けることが大切。天気のことや食べたものなど、些細なことでも毎日書き続けていると、1年間書き終えたとき、すごく大事な思い出になっているから。まさに「継続は力なり」です。

Special Interview 2

文具プランナー

福島槙子さん

自分に合った文房具は気分も効率も上げてくれる

profile

福島槙子さん

文具プランナー。ウェブマガジン「毎日、文房具。」副編集長。ウェブ・SNSでの発信やメディア出演を通して、文具のある生活を企画・提案。ワークショップの開催、文具のプロデュース、文具売り場の企画や商品開発コンサルティング、セミナー講師なども行う。著者に『まいにち ねこ文具』（Pヴァイン）、共著に『もし文豪たちが現代の文房具を試しに使ってみたら』（ごま書房新社）。

〝文具プランナー〟という肩書きに込めた思い

子どものころから文房具が大好きで、お気に入りの文房具を使うと気分が上がるだけでなく、勉強の効率も上がるということを実感していました。大人になってからは編集やライターの仕事をしていたのですが、５年ほど前に「自分の好きなことを仕事にしたい！」と思い立ったとき、一番に浮かんだのが文房具だったのです。「最初のうちは趣味でもいい」と思いながら活動を始めたところ、徐々にお仕事をいただけるようになりました。

文具プランナーという肩書きをつけたのは、情報発信だけでなく、企画や提案もできるような存在になりたいと思ったから。現在はメディアやＳＮＳを通じて文房具の魅力を伝えたり、実際にアイテムを使ってもらえるワークショップを開催したりしています。２０１９年には、文具熱の高い台湾でもワークショップを行いました。

実際に使ってみないと自分に合うかはわからない

文房具を紹介するときは、「誰にでも合う文房具はない」というスタンスでいるよう意識しています。文房具の紹介というと、機能のよさや開発の経緯などをアピールしがちですが、使う方はそれを求めていないことも。その方が何を求めていて、どういう場面でどう使いたいのかに注目するようにしています。

　文房具を選ぶときのポイントは、実際に使ってみること。ネットで買うのではなく、ぜひ文房具屋さんに行ってみてください。実物に出会うと、重さや色、質感など、写真だけでは伝わらないことがたくさんわかるので、選ぶときの参考になります。そして、実物を見て気に入ったら、ぜひ買って使ってみてください。試し書きだけではなく、しばらく生活の中で使ってみることで、自分に合うかどうかがわかってきます。

　そして、買った文房具が自分には合わないと思ったら、すぐに次の文房具を試してほしいです。文房具は生活を豊かにしたり、仕事の効率を上げたりすることを目的としたツールであり、使うことそのものを目的に買うわけではないんです。「もったいないから使うけど、ちょっと違うんだよな……」と思いながら過ごすほうが、作業の効率が下がってしまい、かえってもったいない。使って得られるものを考えてみると、日々使う文房具に対する意識も変わると思います。もちろん、かわいい文房具を買ったけど使わない、というのも、「かわいいものを持っていると楽しい」という目的を達成できているならOKです。

　新しい文房具を使いたくなったら使ってもいいし、自分に合うアイテムが見つかったらそれをリピートしてもいい。文房具は単価が高くはないからこそ、気軽にいろいろなものを試せるので、自分に合うアイテムを探してみてほしいです。

普段持ち歩いているペンは3本。ノートには万年筆かサラサグランドで書くことが多いです。もう1本はスターバックスカードの機能を搭載しているコーヒー色のペンです。ボールペンは油性よりもジェルが好きですね。

「himekuri」の日付シートを貼ってその日のタスクを書き出し、できなかったことは次の日にまた書く、というバレットジャーナル式の使い方をしています。内容は仕事のことが多いですが、「お金をおろす」などプライベートのタスクも書きます（笑）。使い始めの日付を表紙に書いているので、表紙を見るだけでいつのノートかわかります。

文具プランナー 福島さんの おすすめ文房具

「最近は『文具女子博』に代表されるように、女性をターゲットとした文房具が増えています。
また、『自分らしく使える』もキーワード。カスタマイズできるノートやデコレーションできる
アイテムなどが流行しています」と話す福島さん。今おすすめのノート&アイテムをご紹介いただきました。

サニーノート

(いろは出版)

リングノートなのにページ番号が入っていたり、目次を書けるインデックスページがあったりと、バレットジャーナル向きのノート。大切なことを書いたときはどのページに書いたか記録する、という使い方もできます。同シリーズのコンテンツリフィルなどをセットしてカスタマイズも可能。

ロルバーン ポケット付メモ (デルフォニックス)

最近はかわいい柄のシリーズがたくさん出ていて、私が使っているのは「ル ブルトン」シリーズです。見た目がおしゃれなだけでなく、点線が入っていたり、ポケット付きでファイリングができたりと機能面もばっちり。

KOKUYO ME Field Notebook 野帳

(コクヨ)

コクヨの新ブランド「KOKUYO ME」から登場したシンプルで上品なデザインの測量野帳。ポケットに入る小さめサイズで持ち歩きやすく、丈夫なハードカバーだから立ったまま書くことができるので、幅広い用途で使えます。

リングリーフ

(カンミ堂)

書類やカードに貼り付けて、リングノートにつなげることができる「ふせんシール」。サイズは一般的なダブルリングノートの規格に合わせて作られています。自由に貼ったり剥がしたりができて、穴の部分に切れ目が入っているため着脱も簡単です。リングノートを使う楽しみが増えるアイテム。

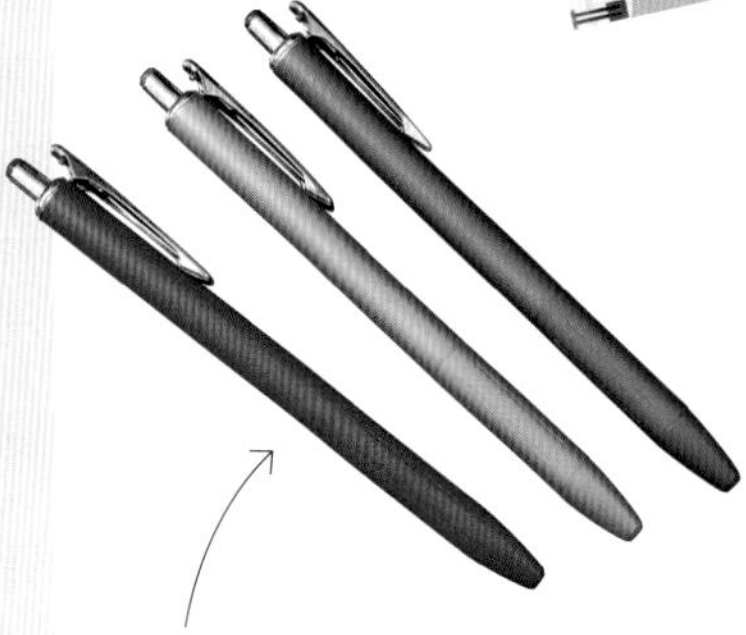

サラサグランド (ZEBRA)

サラサの上位モデル。金属軸の大人っぽいデザインなので、ビジネスシーンでも活躍してくれます。サラサと同じバインダークリップがついていて機能性も抜群。特にビンテージカラーは、黒の代わりに使える落ち着いた色合いです。

キュアパンチ ボーダーデコレーション (呉竹)

紙の縁をレース状に切り抜くことのできるパンチ。隣のページにマスキングテープなどを貼ると、模様がさらにきれいに見えます。スクラップや保管用のノートをデコレーションしたいときにおすすめ。

自分だけがわかればいい 楽しい使い方をしよう

3年ほど前から、手帳とノートを1冊ずつ持ち歩く形に落ち着きました。手帳は中・長期的なスケジュール管理に使い、ノートにはその日のタスクを書き出しています。それ以外にも、アイデア出しのメモや新製品のペンの試し書きなども自由に書いていて、ルールはありません。使い終わったノートはすべて箱に入れて保管しているのですが、「あのときはこうだったな」と見返すのも楽しいですね。

覚えたり考えたりするときは、特に手書きがいいなと思います。矢印を書き込んでキーワード同士を関連づけるなど、パソコンやスマホではできない使い方も気軽にできます。ノートを書くときのポイントは、きれいに書こうとしないこと。作業や考えごとを効率化するためのものなので、自分だけがわかればOKです。まずは楽しく使うことを意識してみてください。

福島さんプロデュースの

himekuri シリーズ

himekuri note（ケープランニング）

女性の小さいカバンにも入れやすいA5スリムサイズのノート。糸かがり製本なのでしっかり開きます。薄いのに万年筆でも裏抜けをしないトモエリバーという紙を使うことで、110ページの容量と気軽に持ち運べる薄さを両立しました。

himekuri
（ケープランニング）

新しいタイプの卓上日めくり付せんカレンダー。1週間ごとに背景色が変わるので、色の変わり目が今日の日付です。365日全て異なる絵柄の付せんになっており、剥がしたあとは手帳やノートに貼って再利用できます。

Special Interview 3

お笑い芸人　パンサー

向井 慧さん

ノートはネタ帳であり理解者 読み返すたびに発見がある

profile

向井 慧さん

お笑いトリオ・パンサーのツッコミ担当。愛知県出身。明治大学政治経済学部在学中にNSC東京校へ入校し、2008年6月に尾形貴弘さん、菅良太郎さんとともに「パンサー」を結成。テレビ番組やお笑いライブなどで活躍の幅を広げる。CBCラジオ「#むかいの喋り方」などレギュラー番組も多数。

積み上がったノートが受験に挑む自信になった

大学受験をすると決めてから受験本番までの期間が短かったので、「書いて覚えるしかない！」と思い、ノートを何冊も使いました。書くことで手で覚えて、書いた内容を声に出して耳で覚えて、大事なところは赤ペンを使って目で覚えて……と、いろいろな感覚を使うことで早く覚えようと思ったんです。参考書の問題を解くときも、できなかった問題を別のノートに書き写してまた解き、さらにその中からできなかった問題を別のノートに抜き出して、自分専用の「できないところだけの問題集」をつくっていました。当時のノートはまだ実家に残っています。

受験の本番前に一番自信になったのは、積み上がったノートでした。本番前に見返したとき、「たくさん勉強したな」と実感できたんです。何かを頑張るときには、データではなくモノで量を目に見える形にしたほうが、モチベーションが上がるタイプなんだと思います。

悪口や不満はノートに吐き出してすっきり

受験の名残からか、芸人を志していたときは「お笑いノート」を作っていました。内容はシンプルで、先輩のネタのビデオを何度も巻き戻しながらセリフをノートにひたすら書き写すというもの。字でネタを見ることで「何行に1回ボケているな」「こういうふうにツッコんでいるな」と笑いの感覚を掴んでいました。そのノートを相方と一緒に見て同じようにネタをやってみるなど、台本としても使っていましたね。

今使っているノートは、1年の頭に買い替えて、1年間使い続けています。こだわりは表紙が黒であることくらいで、メーカーや種類はバラバラ。内容は悪口や不満が8割です（笑）。普段心に引っかかることがあっても、僕のイメージ的に毒舌キャラというわけではないですし、マイナスなことを吐き出すタイプでもないなと思って。でもやっぱり心はモヤモヤしてしまうので、それを全部ノートに書き出すようになりました。よっぽどむかつくことがあったら赤ペンで書きなぐることも（笑）。書いて吐き出すことで、気持ちがすっきりしますね。

仕事の反省を書くことも多いです。「あの場面でこういうことを言えばよかったな」「あのとき、なんでああいうふうに言っちゃったんだろう」と思ったことをノートにまとめているんです。仕事で気を付けたい点を一覧にしたページも作っているので、仕事前に見返して、注意点を頭に入れ直してから仕事に行くこともあります。以前はマネージャーに視聴率表をもらい、自分が出た番組の視聴率を全部書き出して、「1か月間で合計100%超をめざそう」という目標に向かって頑張っていたこともありました。きっと、書かないと不安なんだと思います。「これだけやった」という実感が目に見えないと、なかなか自信が持てないタイプなのかもしれません。

向井さんの愛用アイテム

黒いノートで書き始めたのは3年ほど前から。それまではノートにこだわらず、いろいろなところに書いていたのですが、「1年間持ち続けるノートをつくろう」と突然思い立ったんです。今年のノートは毎日持ち歩いています。

筆記具にはあまりこだわりがないのですが、今はすみっコぐらしのボールペンを使っています。もらい物なのですが、恐ろしい悪口を書きそうになったときにこのペンを見ると「もうちょっと表現をやわらげよう」と思えるので、ストッパーになってくれています（笑）。大事な存在ですね。

ソフトカバー ノートブック ラージ

（モレスキン）

ノートの最初のページには年間目標を書き、2ページ目にはその年のレギュラー番組の推移を記録。それ以降はフリーで、思ったことをその都度書いています。1行しか書いていないページもありますし、2ページ、3ページになる日もあります。両ページにびっしり書いてあるとどこに何を書いたかわからなくなってしまうので、基本は右ページだけを使い、特に気になることや後から付け足したいことがあれば左に書きます。ゆとりをもって使って、すっきりさせたいんです。

温度感を記録するから新しい自分にも気づける

今、地元の名古屋でラジオ番組をやっているのですが、「黒い手帳」というコーナーもやっていたくらい、テレビでは出せなかった〝黒い〟部分をさらけ出しています（笑）。ノートを読み返すと「このときはこんなふうに思っていたんだな」と発見があり、ラジオでの話題のアイデアが湧くことが多いですね。番組で話した内容を書きとめておき、他の番組のアンケートを書くときに見返して「そういえば、こんなエピソードトークを持っていたな」と思い返すことも。僕にとってこのノートはネタ帳のような存在です。

手書きの魅力は、やっぱり温度感ですかね。人に見せるためのノートではないので、読めないような書きなぐり方をしていることもあるんですが、見返したときに「このときはこんなに腹が立っていたんだな」というのが文字で分かる。スマホでメモをしていると温度感を忘れてしまいがちですが、手書きだとそのときの心情をすぐに思い出せます。

自分が何を見て、何に腹が立って、何をいいと思ったかは、意外と忘れてしまうんですよね。そうした忘れてしまうことの中に、実はすごく大事なものが潜んでいるかもしれない。僕はノートを見て自分を知ることが多くて、見返すたびに「自分はこんなことを思っていたんだ」、「こんなところが気になる人だったんだ」と発見があります。自分が書いたもののはずなのに、ノートのほうが自分以上に自分を知っていることもあるんですよね。くだらないことでも、とりあえず書きとめていると、将来意外な発見があるのではないでしょうか。

Chapter 01

マネしたくなる みんなの こだわりノート

SNSで注目を集めるノートユーザーたちのこだわりのページをテーマ別にご紹介。
眺めるだけで楽しいのはもちろん、今日からマネしたくなるテクニックも満載です！
自分らしいノートづくりの参考にしてみてください。

#外食

#読書

#映画

#旅

#家計簿

#献立

#育児

#ファッション

#雑記

#目標管理

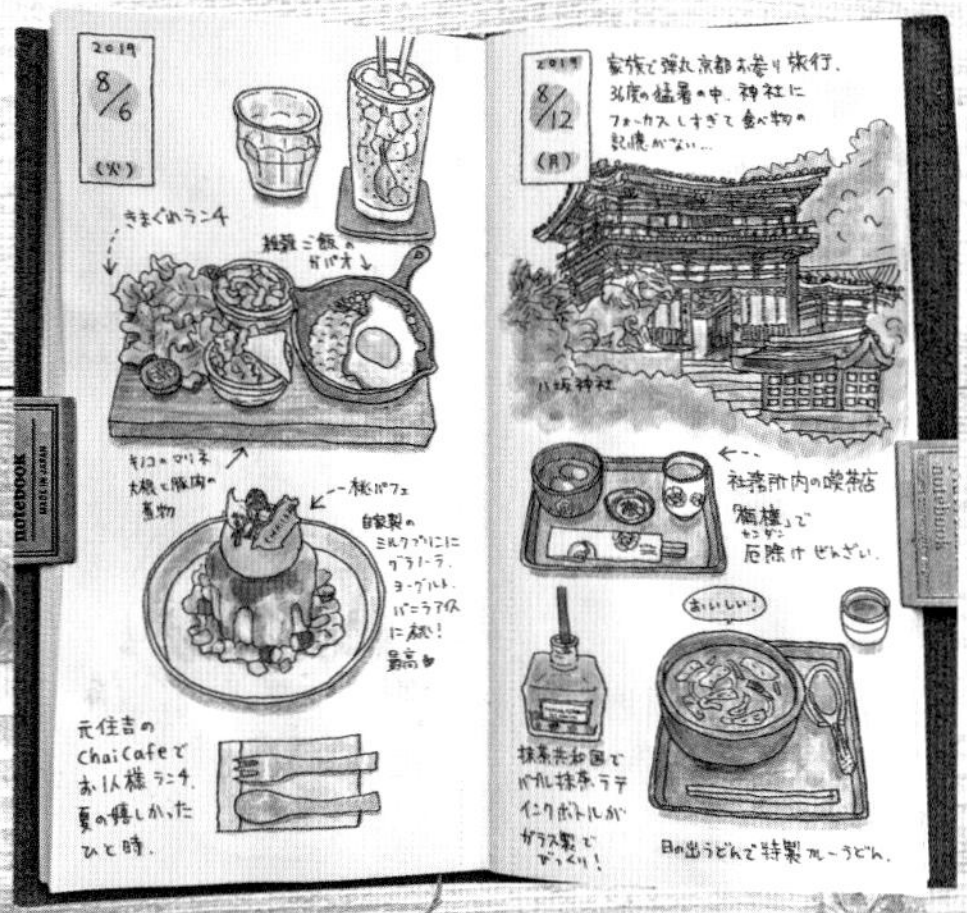

Littleluさん　Instagram：@littlelu_lu

グラフィックデザイナー。文房具雑貨の企画デザインも務める。Instagramにアップされるかわいくておいしいそうなデザートが描かれたカフェのログにはファンも多い。

外食

目に映った出来事と味わった“おいしい”をイラストで再現

カフェやレストランのログをノートにまとめています。去年、今までに書いたログを1冊の本にまとめました。次は、楽しいガイドブックをつくるのが目標です。

記憶が鮮明なうちに振り返り書くことそのものを楽しむ

デザートが好きでカフェ巡りが趣味なので、新しいお店を開拓したときにはログを描きます。デザートやドリンク、食器、外観など、お店で印象に残ったことをイラストで再現。その横に、味の感想やデザートの材料などを書き添えています。ログは週末や寝る前の時間を使って記入。気分やデザートに合わせて文房具を選び、同じメニューでもイラストの表現を変えるなど、描くことそのものを楽しんでいます。旅行のチケットや果物に貼ってあるシール、ケーキに付いている飾り紙などもノートに欠かせない特別な材料。レイアウトに活用すると、より旅の思い出やお店らしさが際立つページに仕上がります。完成したログはInstagramにアップ。また、一緒にカフェに行った友人や家族にログを見せるのも私のルールです。

　カフェのログ以外にも、手帳や旅行記、〝いいお買い物ログ〟なども描いています。ノートを描くことで1日の出来事を振り返れるのが、すごく有意義です。

MDノート 無地A5サイズ（ミドリ）を使っています。紙質がしっかりしているところが気に入っています。ページが180度開くためInstagram用の撮影にも便利です。パン屋の名刺が可愛かったので、記録も兼ねて貼りました!

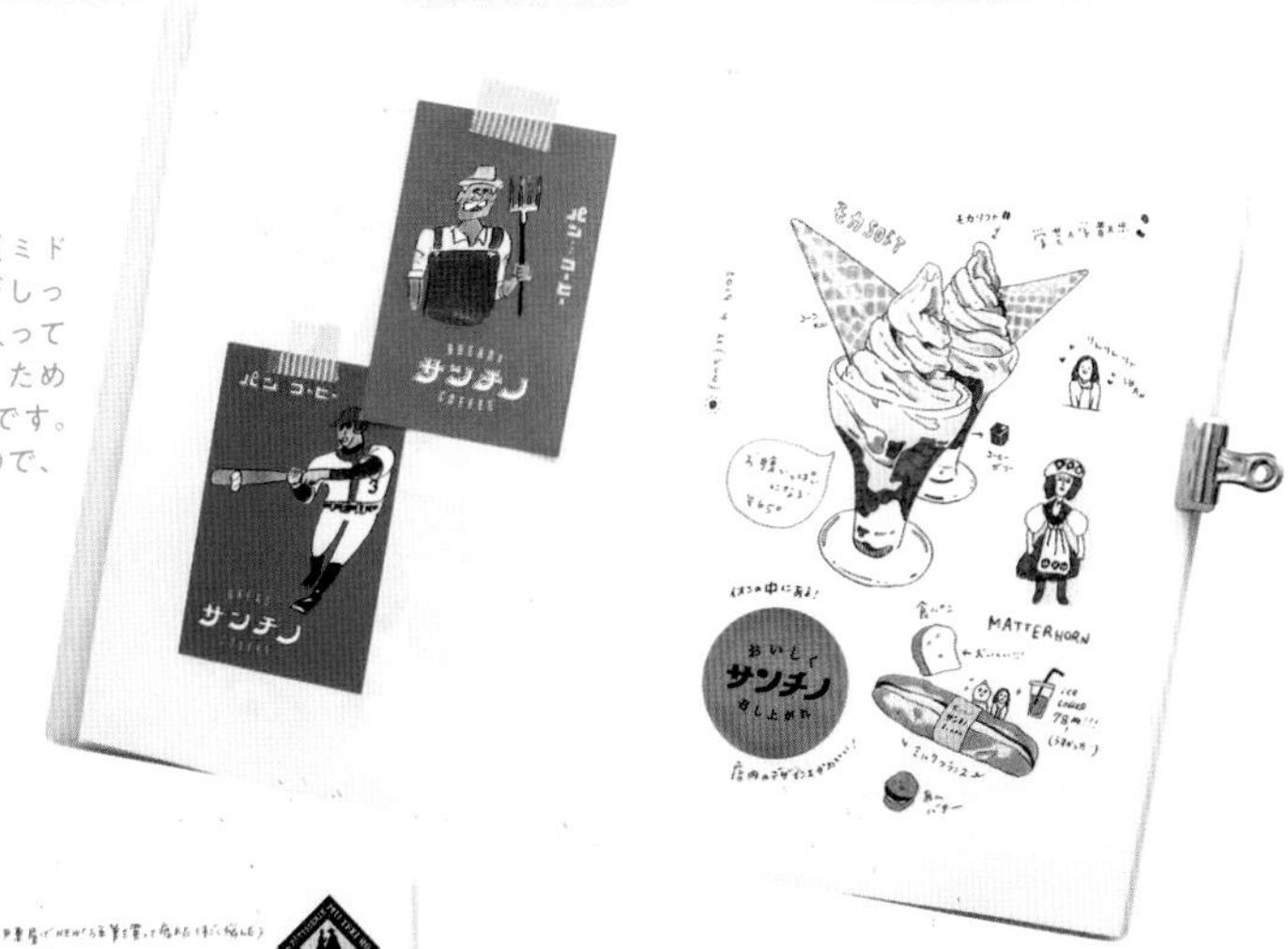

スイーツだけでなく、カフェで出会った可愛い食器もイラストで再現。使った筆記具とインクの種類も記録しています。

旅行記と手帳。旅行記には、記念として持って帰ったホテルの日めくりカレンダーを貼りました。手帳は毎日の細かい出来事も残すためバーチカル手帳を使っています。

ノートを書くときは新しい配色に挑戦しています。スイーツの色付けには、インクはもちろん色鉛筆も欠かせません。

Recommended RS Stationery

Littlelu さんの おすすめ 文房具

お気に入りの文房具はオリジナル

お気に入りの文房具です。マスキングテープとスタンプは既製品ではなく、自分でデザインしたもの。オリジナルの文房具は、オンラインショップなどで販売しています。

インクの世界

最近インクにハマっていて、時間があればイベントなどにも参加しています。まだ勉強中ですが、インクの世界はとても奥が深い。このページはお気に入りのインク「Motomachi Blue」を買ったときの記録です。

mini_minor（ミニ・マイナー）さん　Instagram：@mini_minor

建築関係の仕事に携わる傍ら、旅行や日々のおでかけなどについて記した趣味ノートをInstagramで公開。著書『〝忘れたくない〟をかたちにする my トラベルノート』がワニブックスから発売（予定）。

外食

日頃の食事もワクワク楽しく記録 まるですべてが〝旅先〟での思い出

近所のファミレスディナーの記録もシールや絵でアレンジすることで、イタリア旅行記っぽく演出（笑）。ちょっとしたおでかけなのに旅行気分を味わえるのも、ノートづくりの醍醐味。

残しておきたい思い出は自分の手でカタチに残す

私にとってノートは、「人生を楽しく生きるためのパートナー」。近場へのおでかけから遠出の旅行まで、思い出を楽しみながら記録しています。写真やデジタルデータでも残すことができますが、どうしても〝実感の得られるもの〟として形にしたいという想いがあり、ノートを書くようになりました。ノートがあると、同じ食べものの記録でも、自分の印象に残ったことを切り取ってカタチにできるので、しっかり自分の手で記録を残している実感が持てます。

ただ、いつでもじっくりノートを作る時間がとれるとは限りません。そこで、効率的にノートを書くために、自宅での作業は「作る」時間に、お昼休みや通勤時間は「考える」時間にあてています。カフェなど自宅以外の場所で作業すると、おもしろいアイデアが浮かぶこともありますね。ノートを書くようになって、ひらめきやワクワクを見つけるのが上手になった気もします。

“カフェノート”の書き方

4分割レイアウト

その月に訪れた4つのカフェを記録。ページをあらかじめ4分割にするだけでも、全体が整って見えます。

マイ評価

その月に訪れた6つの飲食店の記録。DAISOのマステを使って、★やレーダーチャートでマイ評価をしてみました。

カフェの インテリアの記録

お店のなかで、自分が気に入ったインテリアをピックアップしてノートにスケッチ。このページでは、折り紙を使ってお店の入り口扉を再現しました。（ページ左右端）

mini_minorさんの おすすめ文房具

Recommended RS Stationery

文具へのこだわり

●入れ替え可能なリフィル

リフィルを入れ替えるたびに新鮮な気持ちでノートに向き合えます。年月がたつごとに年季が入るカバーとのギャップが、またお気に入りです。

●本革のカバー

使うたびに馴染んできて、愛着が湧きます。触れたときの質感や匂いもワイルドな感じで、旅やおでかけのイメージにぴったりです。

① ② ③ ④ ⑤

おすすめの黒ペンたち

①2mm芯ホルダー（STANDARD GRAPH）
……イラスト等の下書き用

②スタイルフィット（uni）
……細かいコメント記入用

③紙用マッキー（ZEBRA）
……イラスト用

④⑤PITTアーティストペンXS,S（FABER CASTELL）
…イラスト用

gon さん Instagram：@gon_techo

年間約100冊の本を読む。普段は、ほぼ日手帳、能率手帳、citta手帳、5年日記など、複数の手帳やノートを用途ごとに使い分け。

読書

本から得た情報を書き留める！ 検索可能なわたしの読書記録

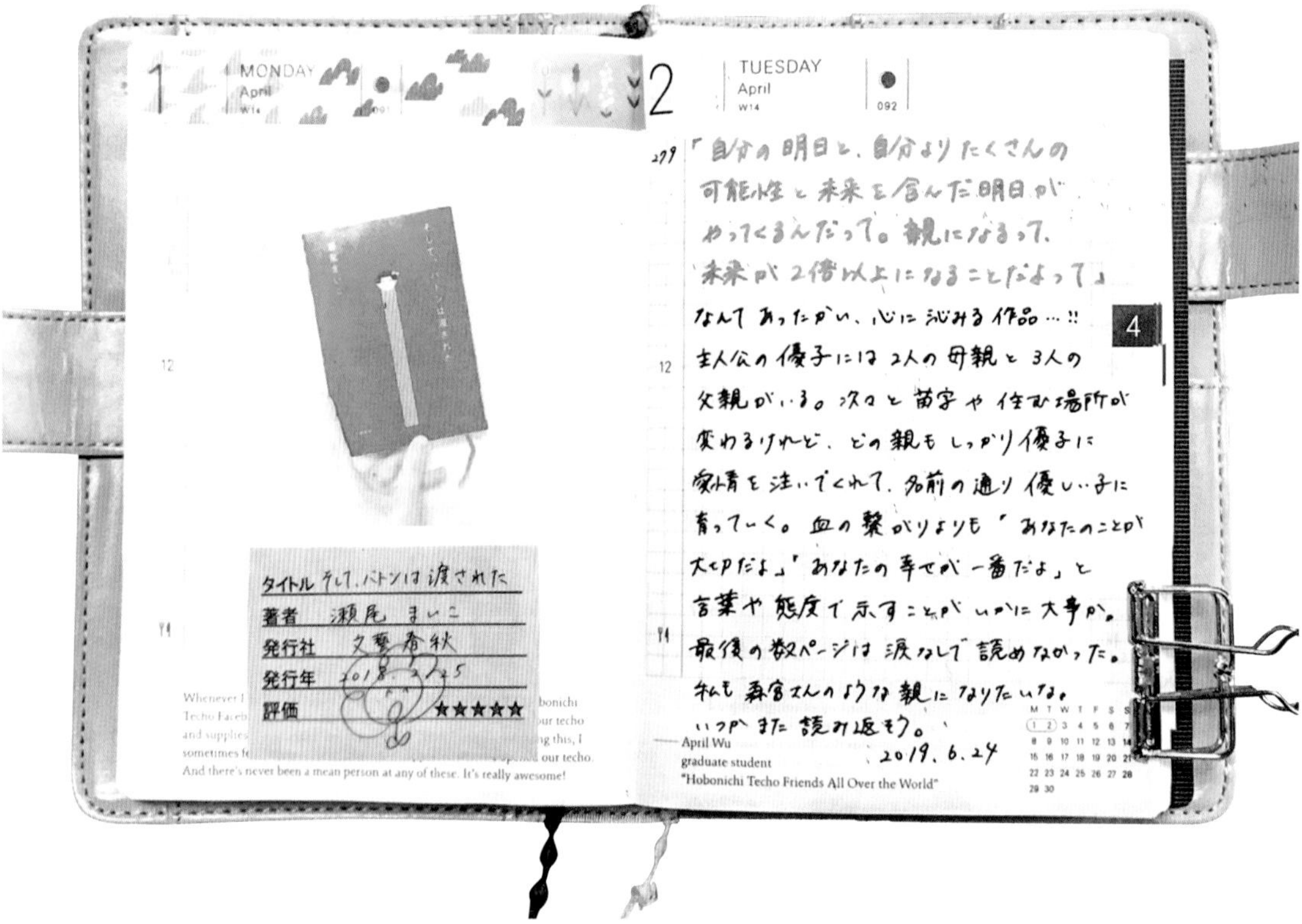

読書ノートは今までに何度も挫折し、いろいろなノートで試行錯誤した結果、現在の形に。プリンターやお気に入りの文房具をリビングに置いてスキマ時間に書いている。

好きなだけ書き出す 自分仕様の読書ノート

最初は、仕事に関する本や自己啓発本など、本から知り得た有益な情報を記録しておくために読書ノートを書き始めました。さまざまなノートを試しては何度も挫折しましたが、今はほぼ日手帳プランナーを使うことで記録を続けられるようになりました。

手帳の年間インデックスやマンスリーページを使うことで、読み終わった本の一覧や目次を作ることができ、記録を振り返りやすくなりました。一覧になっていることで、当時何に興味を持っていたかなどが思い出され、読み返すたびに発見があります。また、読んだ冊数が可視化されることで、読書への意欲も増しました。

数年前に読書用のSNSアカウントを作ったことで、〝読み友〟さんたちと感想を話し合う機会ができました。そこで現在は、小説の感想も書くようにしています。SNSでは文字数に制限がありますが、記録したい文や自分の素直な気持ちを制限なく書けるところがノートの魅力ですね。

デイリー

左ページに本の写真と情報を、右ページに感想を記入しています。引用した文にはページ数も記入。できるだけ読了した月のうちに記録するようにしています。

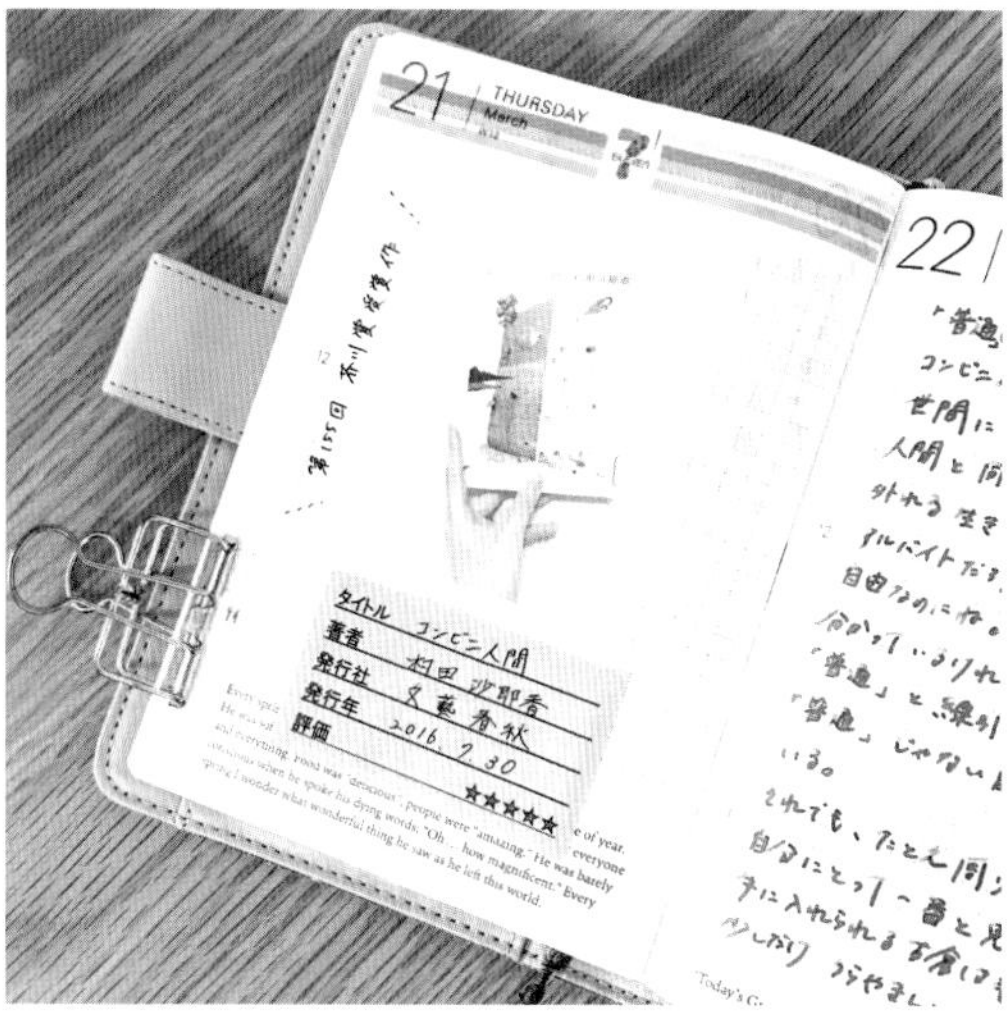

マンスリー

マンスリーのページは読書ノートの目次となるよう、感想を書いた日付のところに本の写真を貼っています。

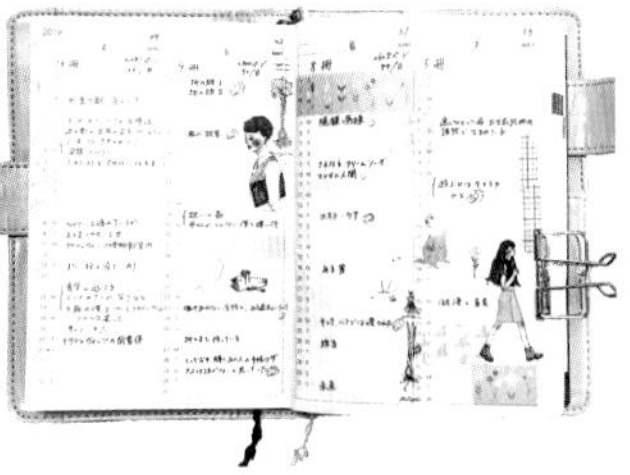

年間ダイアリー

年間のインデックスページには読んだ本のタイトルと、その月の読了した冊数を記入して、いつ何を読んだか一見でわかるようにしています。

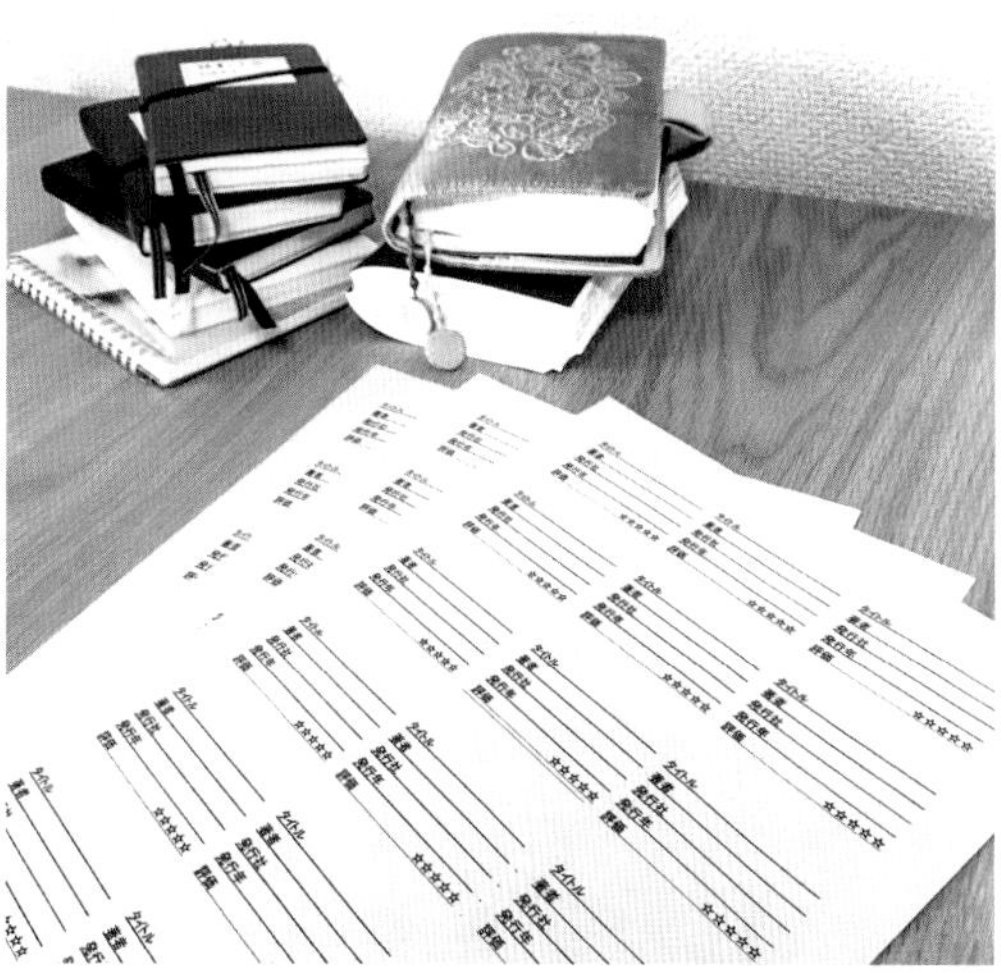

タイトルや著者など、本の情報を記入する紙は自分で作っています。いつでも書けるようにクラフト紙に印刷してストックしています。

インクの色やマスキングテープは、本の内容や表紙からイメージして選んでいます。文房具を選ぶのも、ノートを書くときの楽しみのひとつ。

Recommended Stationery

gonさんのおすすめ文房具

ガラスペンとインクたち

3年ほど前から万年筆デビュー。色彩雫のミニボトルはすべてプレゼントでいただいたもので、着々とインク沼にはまっています。読書ノートは作品によってインクの色を変えたいので、水でさっと洗い流せるガラスペンが便利。

収納されたマスキングテープ

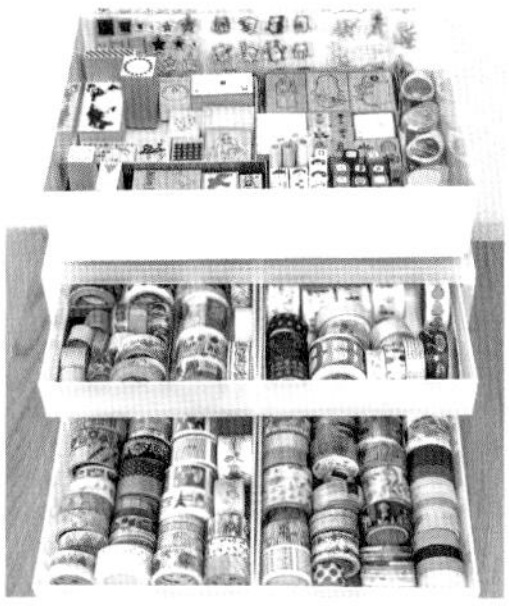

無印良品の引き出しにまとめて収納しています。最近はマステやシールの専門店からネットで購入することも増えました。海外製のものやお店独自のデザインのものなど、身近では手に入らない柄がたくさんあって、つい集めてしまいます。

あやこさん　Instagram：@genko_library

7歳の娘と4歳の息子を育てる兼業主婦。読書記録をまとめたノートが人気を集めている。ブログ「本のある暮らし」を運営中。

「本と一緒に歩んだ時間」を蓄積 読み返すと元気がもらえる

Instagramに投稿する際は、開いたノートの片側に本を置いて撮影。本を読むたびにノートのページ数も増えて嬉しい気持ちに。

アウトプットを通じて一冊の本と二度向き合う

読書が好きなのですが、時間が経つと本の内容を忘れてしまうのが悩みでした。そんなときに読んだ『読んだら忘れない読書術』（樺沢紫苑著・サンマーク出版）で、「アウトプットをすれば忘れない」ということを学び、読んだ本についてノートに記録するようになりました。

ノートはいつも、子どもを寝かしつけたあとの夜や、まだ誰も起きていない早朝にダイニングテーブルで書いています。静かな場所でノートを書いていると、不思議と心が落ち着きますね。私のノートのテーマは、「私と本の歩んだ時間の記録」。一度読んだ本をもう一度めくりながらノートを書くので、一冊の本と二度向き合うことができ、理解がより深まるのもメリットです。

まっさらな白いページにどんな言葉を残すかはその人次第。書けば書くほど自分の時間が目に見える形で蓄積され、読み返したときに情景が蘇ってくるところがノートの魅力だと思います。

ノートの１ページ目には読書との向き合い方や自分へのメッセージを記入し、ときどき読み返しています。

せっかく時間をかけて読んだ本の内容を忘れてしまうのはもったいないので、読み終わったらなるべく早めに記録するようにしています。

モレスキン「クラシック ノートブック ハードカバー 方眼 ラージサイズ ブラック」を使用。シンプルな見た目と重厚感に惹かれて使い始めました。もちろん機能性も高く、180度しっかり開く作りで書きやすい。自由にカスタマイズできる方眼タイプがお気に入りです。

読んだ本には通し番号をつけています。ノート上部にはまず本の番号とタイトル、著者名、書いた日付を記入し、その下には本を読んで特に心に残った一文を書き写します。スペースに余裕があれば自分の感想を付け加えて、未来の自分へのメッセージに。

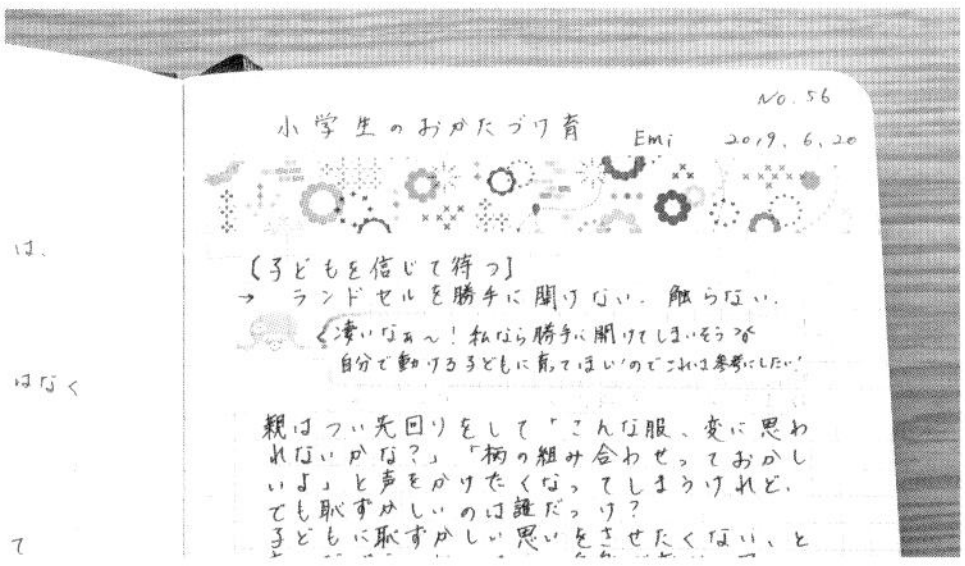

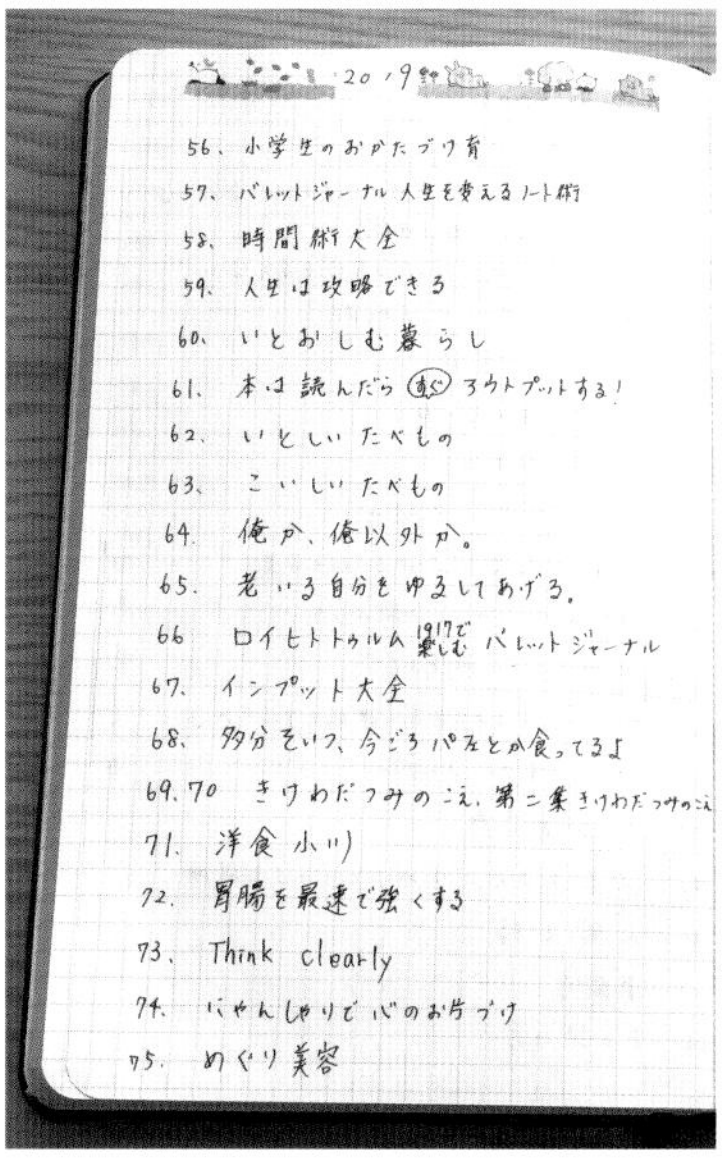

ノートは書いて終わりではなく、ときどき読み返したいもの。巻末のページには番号とタイトルを記入して、いつでも検索できるようにしています。過去のノートの言葉に励まされたり、元気をもらえたりすることも。

Recommended
RS
Stationery

あやこさんの
おすすめ
文房具

ユニボール
シグノ

0.28㎜の黒を使用。細くて書きやすいので長年愛用しています。マイルドライナー（グレー、イエロー）とデコラッシュも使用頻度が高いアイテム。

マスキング
テープ

マスキングテープもノートに欠かせない文房具のひとつ。ノートを開いたときに少しでも明るい気分になるよう、色や柄を工夫しながら使っています。

つゆさん Twitter：@COLORBAR_ty

都内の出版社で書籍の企画編集を手がけながら、趣味でオリジナルの映画ノートを制作中。週に一度の映画館“ハシゴ”が生きがい。

WEBストア：https://colorbar-ty.stores.jp

自分だけの感想を残す“オタクのための映画ノート”

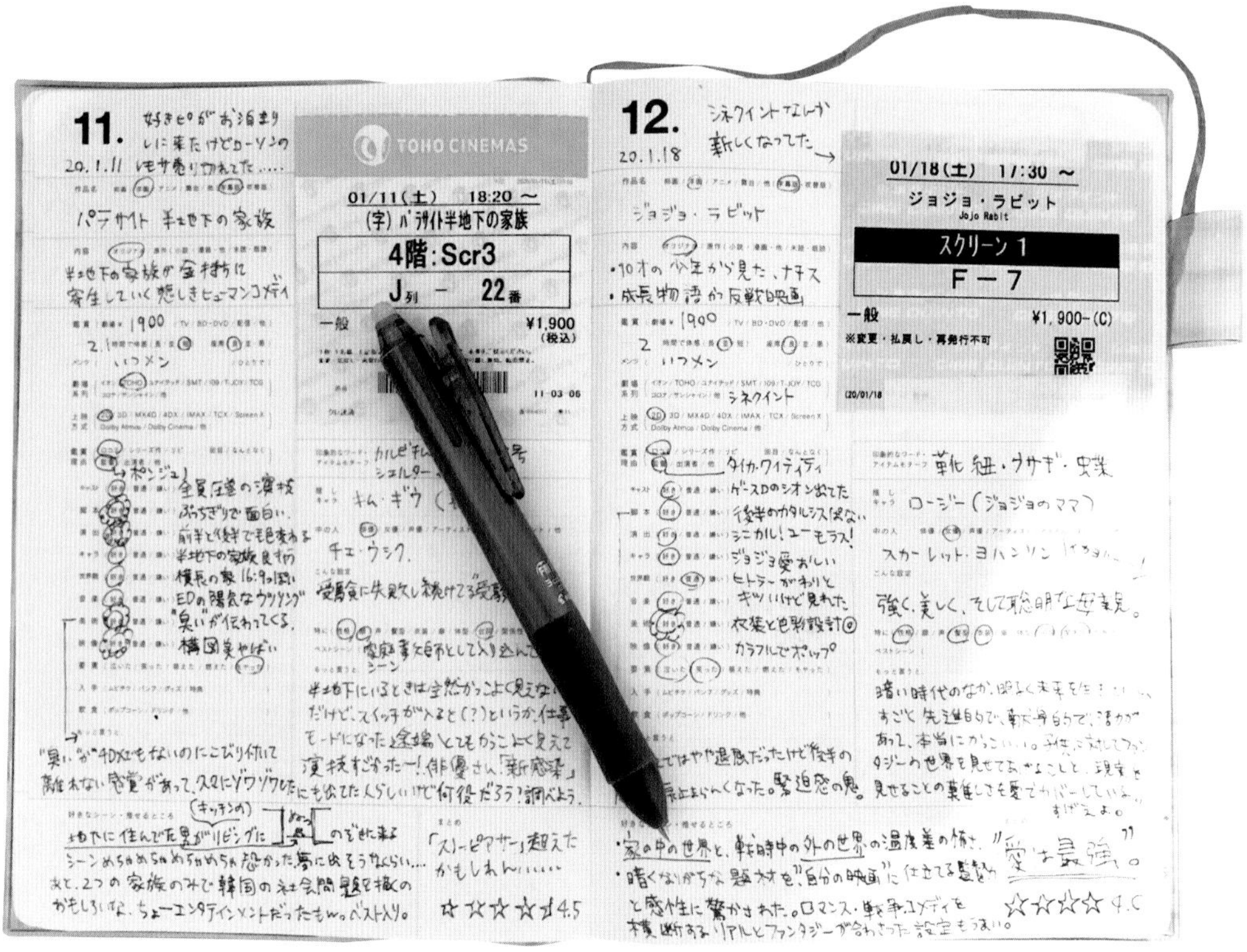

自身が制作・販売している『オタクのための映画ノート』。項目に記入するだけで映画の感想を記録できる。ページ右上には半券を貼れるスペースも。

「ヤバい!」「最高!」を記録するオリジナルのノート

学生時代に住んでいたアパートが映画館から徒歩1分の距離だったので、予定のない週末は朝から晩まで映画漬けの生活を送っていました。しかし、鑑賞した映画に対する感想は、SNS上での「ヤバい!」「最高!」「好き!」の一言で終わらせがち。何がヤバかったのか、どう最高だったのか、自分だけの感想を残しておきたくなったことがきっかけで、『オタクのための映画ノート』というオリジナルのノートをつくり、販売することにしました。

私は主に映画館で鑑賞した新作の感想を書き込んでいます。モットーは「感想は鮮度が命!」。記憶があるうちに書きたいですし、後回しにすると面倒になってしまうので、映画館を出たらすぐカフェやファミレスに入ってノートを書きます。

Twitterのハッシュタグ「#オタクのための映画ノート」では、ユーザーの皆さんが使用例を投稿しているので、ぜひ見てみてください。

持ち運びたくなるノートにするために、装丁にもこだわっています。これまでにブルー、オレンジ、イエローを販売しており、春にはチューリップピンク、ラベンダーグレイという新色も誕生しました。

付属品として専用の透明ビニールカバーも付いていて、ノート本体を汚れから守ります。ムビチケを入れるポケットやペンホルダーも付いているので、コンパクトにカバンに入れて持ち運ぶことができます。

中身には、映画鑑賞用途に使えるさまざまなフォーマットを印刷。「世界観」や「演出」、「推しキャラ」などオタク特有の"細かすぎる"鑑賞視点で項目を設定しており、「好き」か「嫌い」かを丸で囲むだけなので、面倒くさがりな方でも作品の所感を簡単に俯瞰できます。「マイベストムービー」を記入できるページや、主な映画館の割引一覧なども付属。

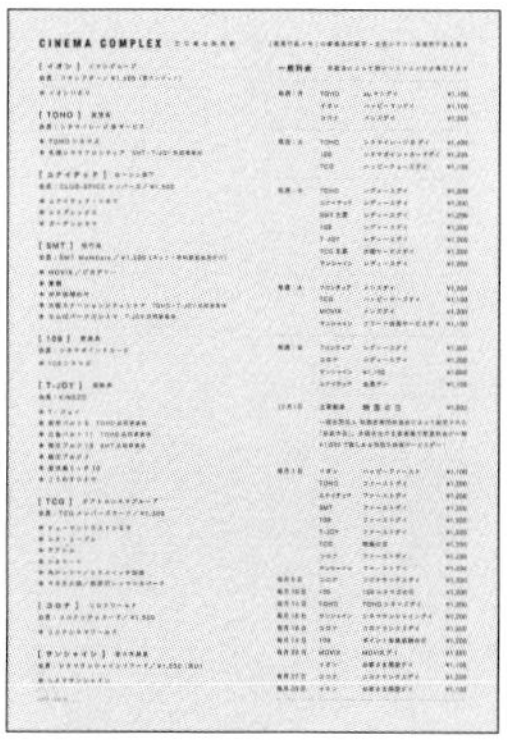

続けるコツは、張り切って書き込みすぎないこと。面白かった映画はたくさん書く、刺さらなかった映画はさっと丸で囲んで終了。少しでも記入に悩んだら空欄でもOK。思い出したら書き込めばいいや、という軽い気持ちで書くようにしています。

間違えても書き直せる、フリクション0.5㎜（PIROT）の三色ボールペンを愛用しています。劇中に"推し"のキャラクターがいたらノート内にイラストを描くこともあるので、今までもこれからもフリクション一択です。

造本仕様にもこだわりを詰め込みました。本文用紙には裏抜けしにくい手帳用紙を採用。淡いクリーム色なので、長時間書いても目が疲れにくくなっています。180°しっかり開く糸かがり製本でスピンも付いており、書き込みやすさもばっちり。

目次的な役割をもつ「MOVIE LIST 50」のページは、どの時期に何の映画を観て、自分がどう感じたのかを俯瞰して見ることができます。自分の好きな映画の傾向が見えるだけでなく、映画を観れば観るほどリストが埋まっていく達成感が味わえるのも楽しいところ。

ayacoさん　Instagram：@ayaco_hanco

台湾をこよなく愛するハンコ作家。ブログ「台湾のたびしおり」が話題となり書籍化。これまでに台湾関連の書籍や『ayacoの手帖のつくりかた』『ayacoのはんこノート』（ワニブックス）など出版している。

旅

「たびしおり」は旅先では相棒　家に帰れば何度も見返したい読み物

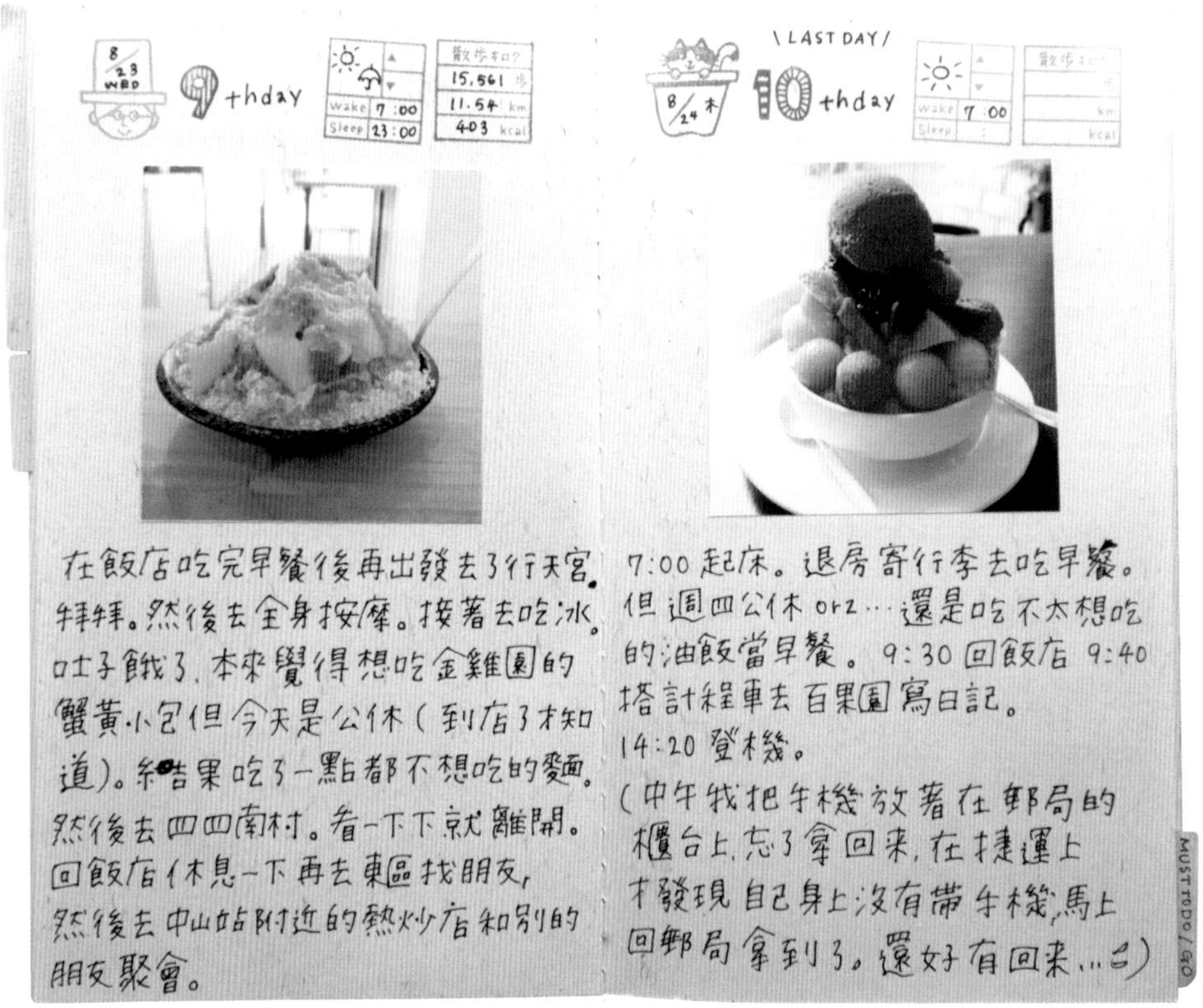

台湾が大好きで何十回も訪れていますが、毎回「たびしおり」をつくっています。日記部分は全編中国語。日付や天気などの記録は自ら作ったオリジナルのハンコでまとめました。使ってよかったハンコは、販売もしています。

開くたび思い出がよみがえる　愛着がわくノート

旅に出るごとに「たびしおり」というノートを1冊つくっています。スケジュールや観光地、ショップリスト、お土産などの情報が詰まっているので、旅行中は単なるノートではなく大事な相棒です。旅先での出来事や日記もこの中に書き留めています。

ノートは書くよりも読み返す方が好きなので、「たびしおり」は毎回異なるテーマを設定して制作するだけでなく、将来楽しめるような工夫があります。たとえば、あるときの台湾旅行では、全部の日記ページを持参した水彩鉛筆で書きました。内容だけでなく、ノートが水分を含んだことで少しボコっとした独特の手触りになったところがお気に入りになりました。また、たびしおり専用ハンコをつくり、まとめるのに使っています。「たびしおり」の魅力は、たとえ同じ旅先でも違った楽しみが詰まっているところ。どのページもめくるたびに旅の記憶がよみがえり、愛着が増すノート達です。

旅先で「たびしおり」の写真を撮影することにしています。このノートも私と一緒に旅をしていたんだなぁ、とより一層愛おしくなるんです。

「たびしおりノート」は自分でつくっています。サイズも紙も旅にぴったり。このノートは販売もしています。

私は紙とペンの相性がよくないと筆が進まなくなってしまうのですが、このノートは愛用のペンとの相性がよく、きれいな字が書けるので気分が上がります!

カフェノート、ブックノート、ドラマノートなども書いています。自宅だと他のことがやりたくなってしまうので、気が向いたときにカフェなどに行ってまとめて書きます。

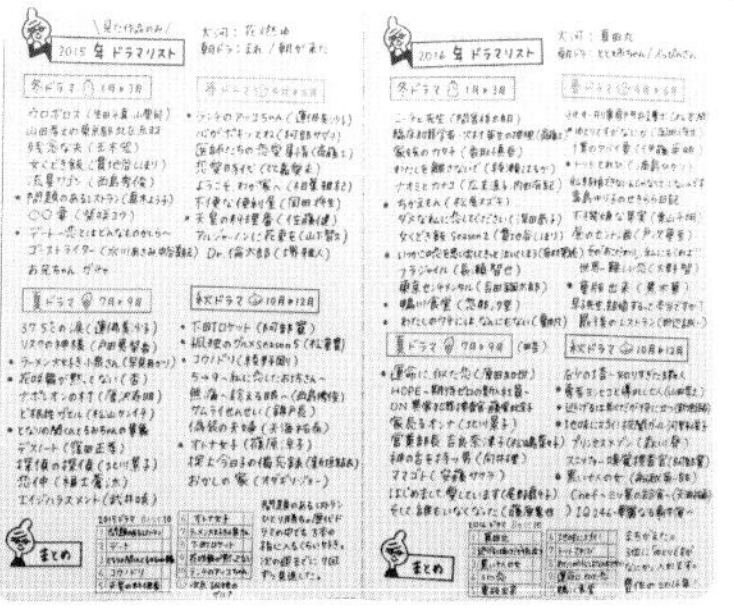

Recommended
RS
Stationery

ayacoさんのおすすめ文房具

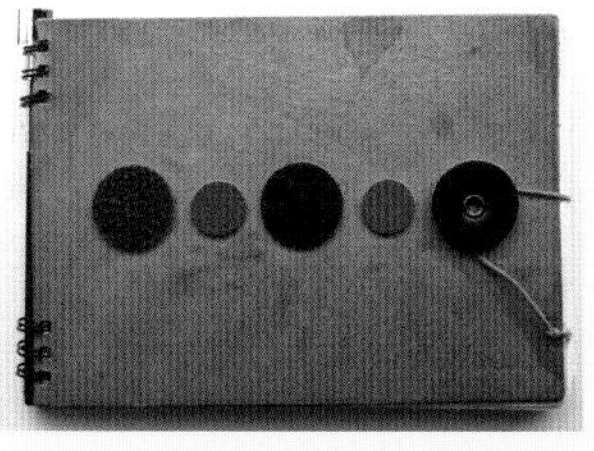

相棒ノート

「カキモリ」でつくったセミオーダーのノート。裏抜けしづらく、ちぎっても罪悪感がないトモエリバーを最大量まで詰め込みました。アイデアを書きためるノートとして使っています。

ayacoオリジナルハンコ

インクは細かい陰影も表現できるシャチハタに限ります。欲を言えば、黒と薄墨の間の色、チャコールグレーをつくっていただきたいです!

akiさん　Instagram：@aki10notebook

スペインで夫、息子、セキセイインコと一緒に暮らす。現在は育児休業中。Instagramに、朝のカフェでノートや手帳と過ごす憩いの時間などをアップし、人気を集める。

出発前から旅行後まで楽しめる 完成した1冊は自分史の一部

旅行記は文字で綴るだけでなく、たくさんの写真と一緒に記録。旅先で手に入れたチケットや紙類は、マスキングテープやシールでレイアウトしている。

少し乱雑でも見返すと味になる そこが旅行記の面白さ

私の旅行記は、出発前にパッキングリストや行ってみたいスポットの情報、日程表を書くことからはじまります。旅先では、その日の出来事や行った場所について日記形式で、できるだけ詳細に記録。

　全ページ旅先で完成させるのが理想ですが、帰宅後にゆっくりノートを読み返しながら思い出を書き足し、マスキングテープやスタンプでコラージュをして仕上げます。

　ノートを書き始めたころは、まっしろなページに緊張し、何を書くか悩んだことも。書くのも読むのも自分だけだと気づいてからは、コラージュやイラストへの苦手意識を捨てて楽しむことが最優先になりました。少し乱雑でも読み返すと味わいになるところが、ノートのおもしろさだと思います。

　手書きの文字には、そのときの気分や状況が出やすいもの。旅行記に限らず、日々の自分の気付きや思いを綴ったノートはどれも読み返すと、かけがえのない自分史の一部になっています。

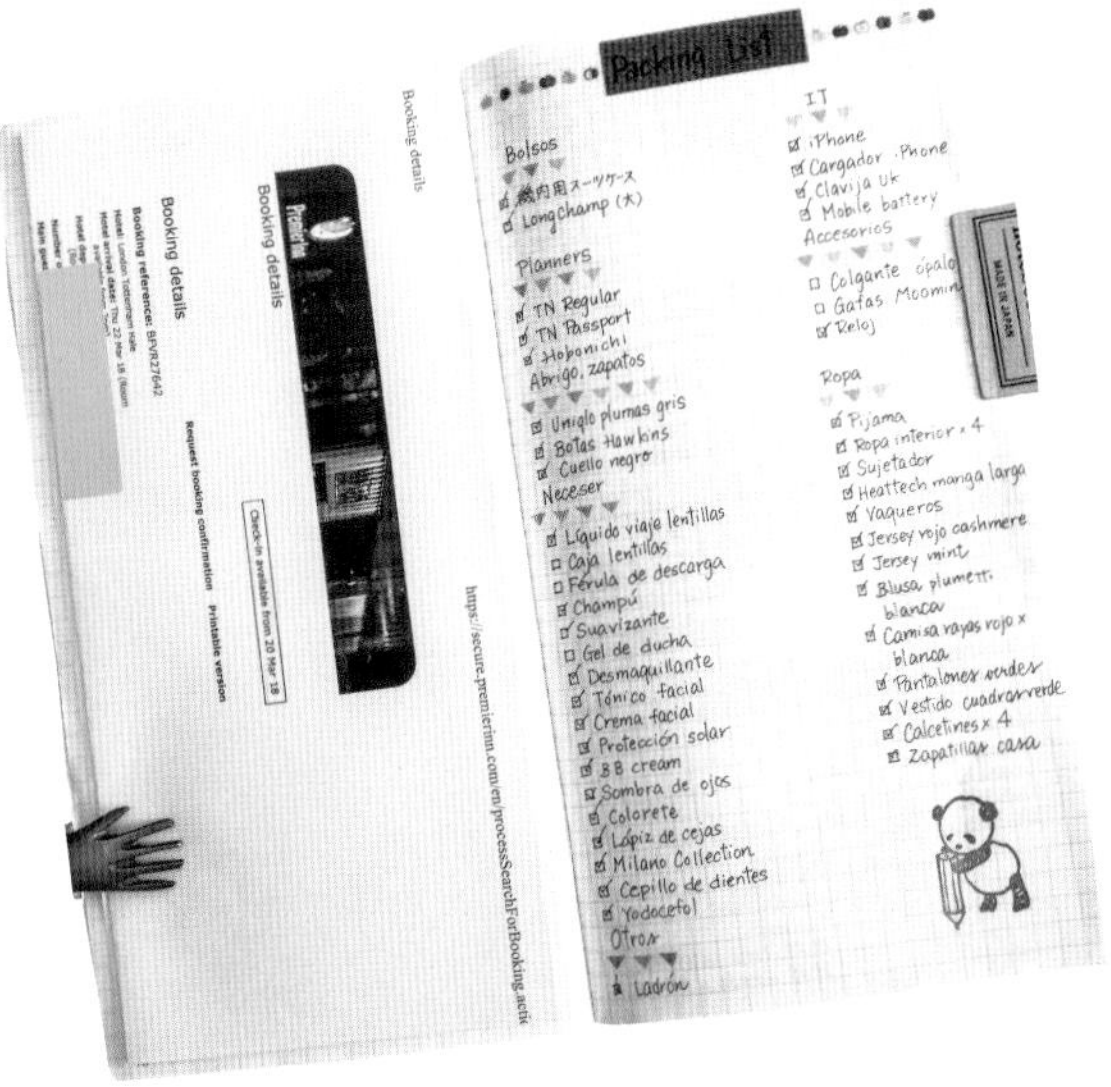

トラベラーズノート レギュラーサイズ（トラベラーズカンパニー）は旅の大切なお供。シンプルな革のカバーのかっこよさと、中に入れるリフィルのカスタマイズ性の高さが魅力です。

出発前にはノートに持っていく荷物を書き出します。いつも旅行直前にスーツケースに荷物を詰めるのですが、このリストがあればあっという間に旅支度の出来上がり!

現地でも写真をノートに貼りたいので、小型プリンター、両面シール、糊、ハサミなどを持参します。筆記用具は大好きな万年筆を使用。日本語には日本製を、筆記体にはインクの濃淡が楽しめる中字以上をと、使い分けています。

トラベラーズノートのリフィル専用のバインダー。これまでの旅行記は、すべてここに保管しています。

リフィルの表紙はマスキングテープやシールで楽しくコラージュ。リフィルは使い切るまで書くので、1冊に複数の旅行記が入ることもあります。

Recommended
RS
Stationery

akiさんの
おすすめ
文房具

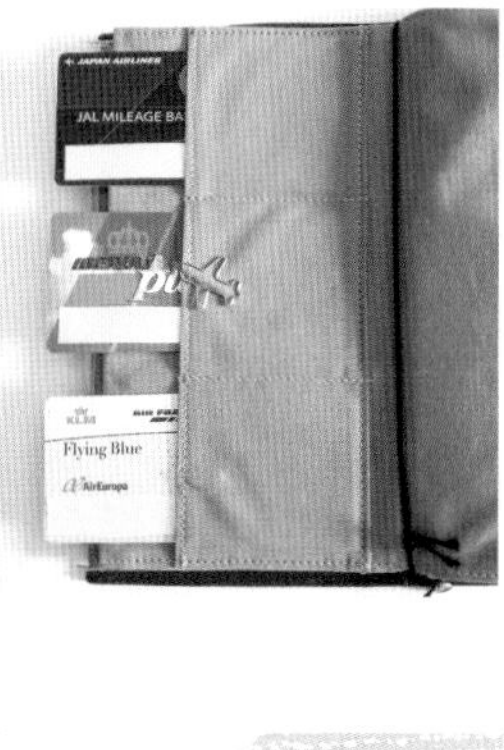

ペーパークロス ジッパー

このジッパーには、航空会社のマイレージカードを入れています。使わなくても旅の気分が上がるので気に入っています。

クラフト ファイル

搭乗券を入れるクラフトファイル。旅先では、美術館やミュージカルのチケットの一時保管場所として使えるので便利です。

あっすーさん　Instagram：@asuka.kakeibo

夫と2歳の息子と3人暮らしで、現在は育休3年目。Instagramにてノートにまとめた家計簿やおすすめ文具、グルメレシピなどを発信している。

「自由度の高さ」がノートの魅力！楽しむことで家計簿を続けよう

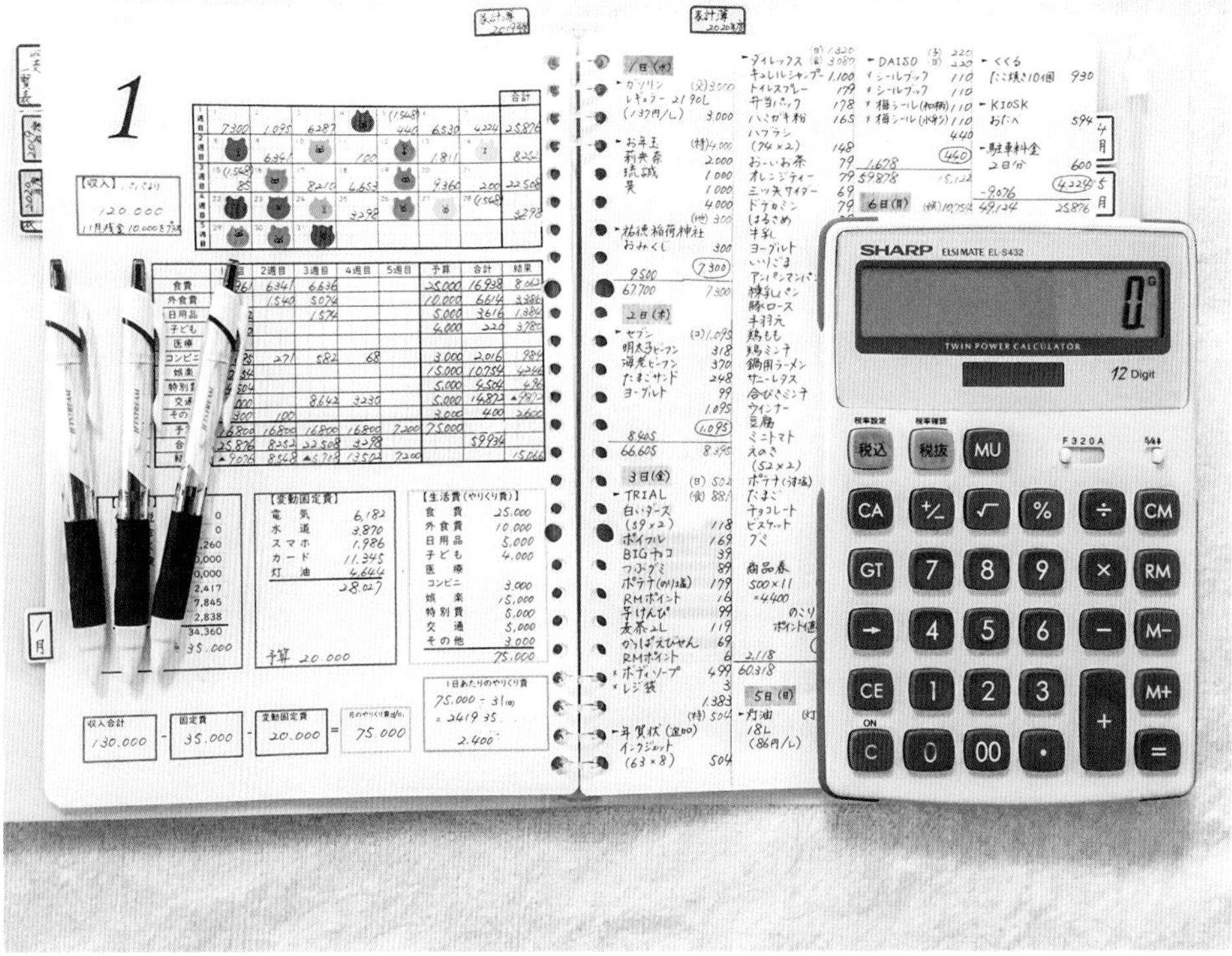

ノートに収支一覧やライフプランを書き込んで家計を管理。買い物をした日のうちに、「いつ・どこで・何に・いくら使ったのか」といった内訳を詳細に記録するのがポイント。

レイアウトや文房具を通じて書くことに楽しみを見つけよう

もともと夫婦共働きで別財布ということもあり、特に貯金などを意識することなく、自由な生活を送っていました。しかし子どもの出産を機に、「将来のことも考えないとダメだ！」と一念発起。SNSで家計簿を公開しているアカウントなどを参考に、ノートで家計管理をするようになりました。

SNSで「継続するコツは？」と尋ねられることも多い家計簿ですが、楽しみながらやることが一番だと思います。スマホやパソコンではなくノートを使うことで、生活や気持ちの変化に合わせて、自分の好きなようにレイアウトできることも楽しみのひとつ。まずは文房具やシールなど、心がわくわくするアイテムをそろえることからスタートさせてみてはいかがでしょうか。また、SNSなどを通じてノートを見てもらったり、人に感想をもらったりすると、モチベーションが高まります。工夫次第で「書くこと」そのものに楽しみを持たせることができるのが、ノートの魅力ですね。

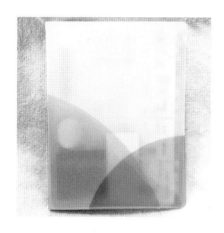

PLUSのバインダー「Pasty」を使用。リングがセンターレス仕様になっているので、紙の端まで文字を書くことができます。外側にミニポケットがついており、お気に入りのシールや支払い用紙などを入れておけるのもポイントです。

レシートを見ながら「いつ・どこで・何に・いくらかかったのか」を記入。さらにピンク色は無駄だったもの、水色は値引きされていたものというように、マーカーで色をつけて管理しています。

書いて終わりではなく、月ごとの傾向を調べたり反省点を書き出したりして、必ず活用するようにしています。

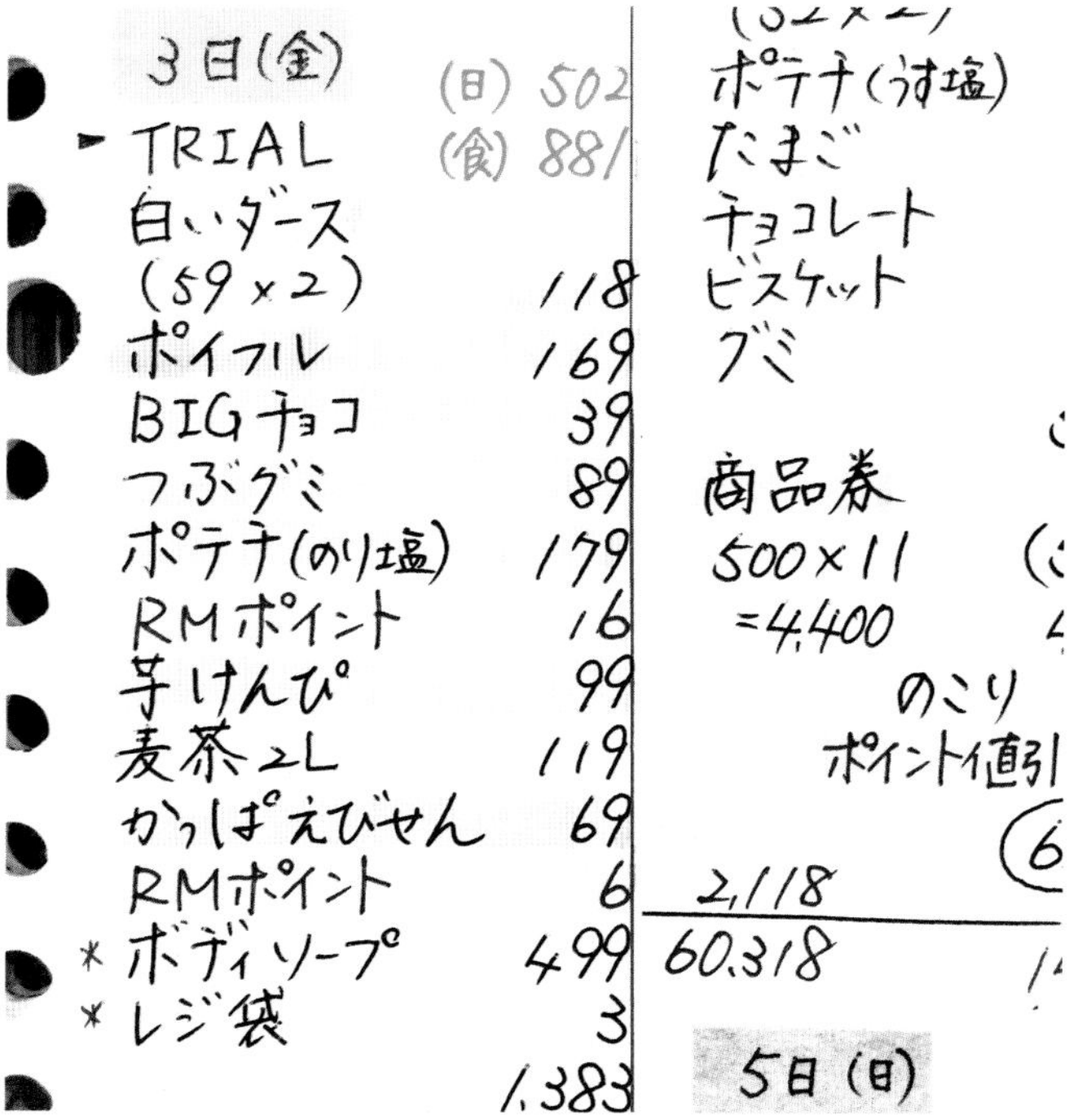

NMD（ノーマネーデー＝買い物をしなかった日）のご褒美として、カレンダーにシールを貼っています。ポイントが貯まるような雰囲気で、節約をゲーム感覚で楽しんでいます。

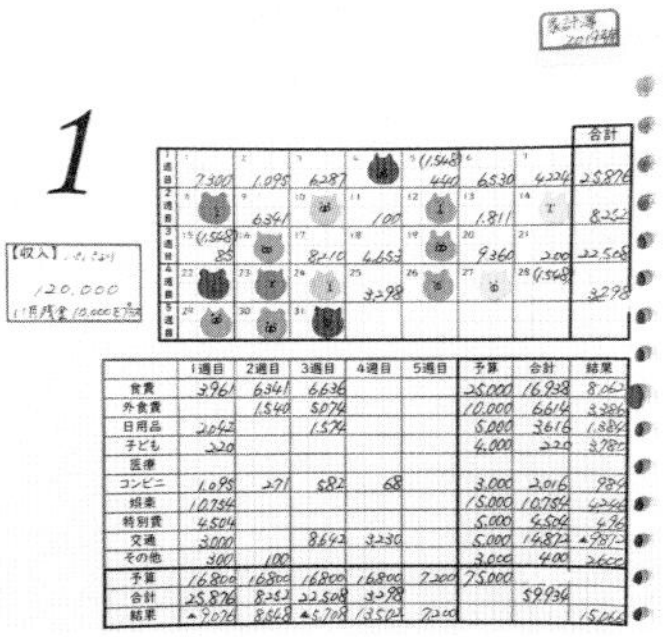

お気に入りのかわいいシールを貼ってみたり、ペンで色付けしたり。家計簿というと質素になりがちですが、自分が楽しみながらノートを書けるような工夫をしています。

Recommended RS Stationery

あっすーさんのおすすめ文房具

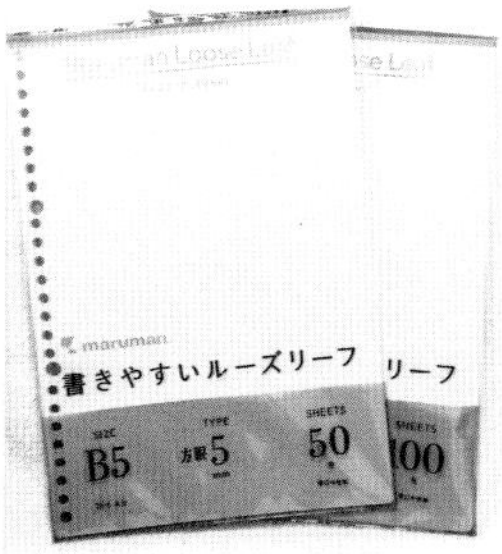

方眼・無地ルーズリーフ

書きやすいルーズリーフ（maruman）はB5の方眼タイプ・無地タイプを使用しています。書き心地がよく、裏写りしないところがお気に入り。無地タイプには家計簿のフォーマットを印刷して使用しています。

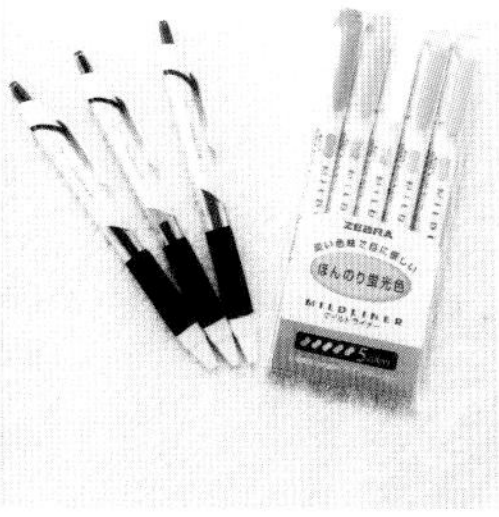

ジェットストリームとマイルドライナー

ジェットストリーム（uni）はスタンダード0.5㎜を使用。書きやすく、きれいな字が書けるため愛用しています。マイルドライナー（ZEBRA）は優しい色合いなので、文字の邪魔になりません。

Tamyさん　Instagram：@tamytamy2015

夫と2人の息子、義父と暮らす主婦イラストレーター。ワインエキスパートの資格も持つ。著書『図解　いちばんわかりやすいワインの基本』（三才ブックス）が発売中。

愛用の絵の具で日々を彩る おいしい思い出を家族友人と共有

子どもの塾の送迎で大忙しだった夏休み。左ページにはおひとり様カフェ時間の思い出を。ランチとデザートに興奮♡右ページは弾丸京都旅行で参拝した念願の八坂神社。猛暑の中、厄除けぜんざいやカレーうどんを堪能。

週1で絵日記に 10〜20年後に見返したい

シンプルでカスタマイズしやすいトラベラーズノートをスケジュール用と絵日記用として使い分けています。皮のカバーは種類が豊富で、遊び心のあるリフィルもお気に入りです。画用紙リフィルを見つけて、手帳に思い出をスケッチしたら良いかもと思い、イラストを描き始めました。

最初は御朱印集めの神社仏閣ばかりでしたが、気づけば食べ物が中心に。今では食べたものを週1回くらいの頻度で絵日記にしています。お気に入りのペンと水彩絵の具で、子どもとの思い出を中心に、行ったお店や注文した料理名も添えます。家で描くだけでなく、子どもの習い事待ちで入ったカフェ時間も絶好の機会です。

子どもが小さい頃は食べることが唯一の楽しみ。外食やスイーツには流行があり、季節も感じられます。自宅で食べるときのひと工夫も書き留めます。絵日記にし始めたら毎日がキラキラ輝き出しました。長く描き続け、10年後、20年後に見返す日が待ち遠しいです。

恒例の家族スキー旅行で南魚沼を訪れた際の記録。私は滑れないので、新幹線の駅弁と地酒を楽しみに。南魚沼で最も歴史ある青木酒造は純米大吟醸、梅酒、ハッカ油とそれぞれ、瓶の形もラベルも多彩でした。

大流行のタピオカミルクティーは3カ月間で飲んだ分を並べて描いてみました。それぞれに特徴があり、パッケージのイラストや中身の見た目も個性的で、面白かったです。

村上開新堂のお菓子に、頂き物の新鮮な夏野菜と、同じ種類のものを並べるのが好きです。私自身が小学生の夏休みの自由研究で植物標本を作ったときのわくわくがベースになっています。

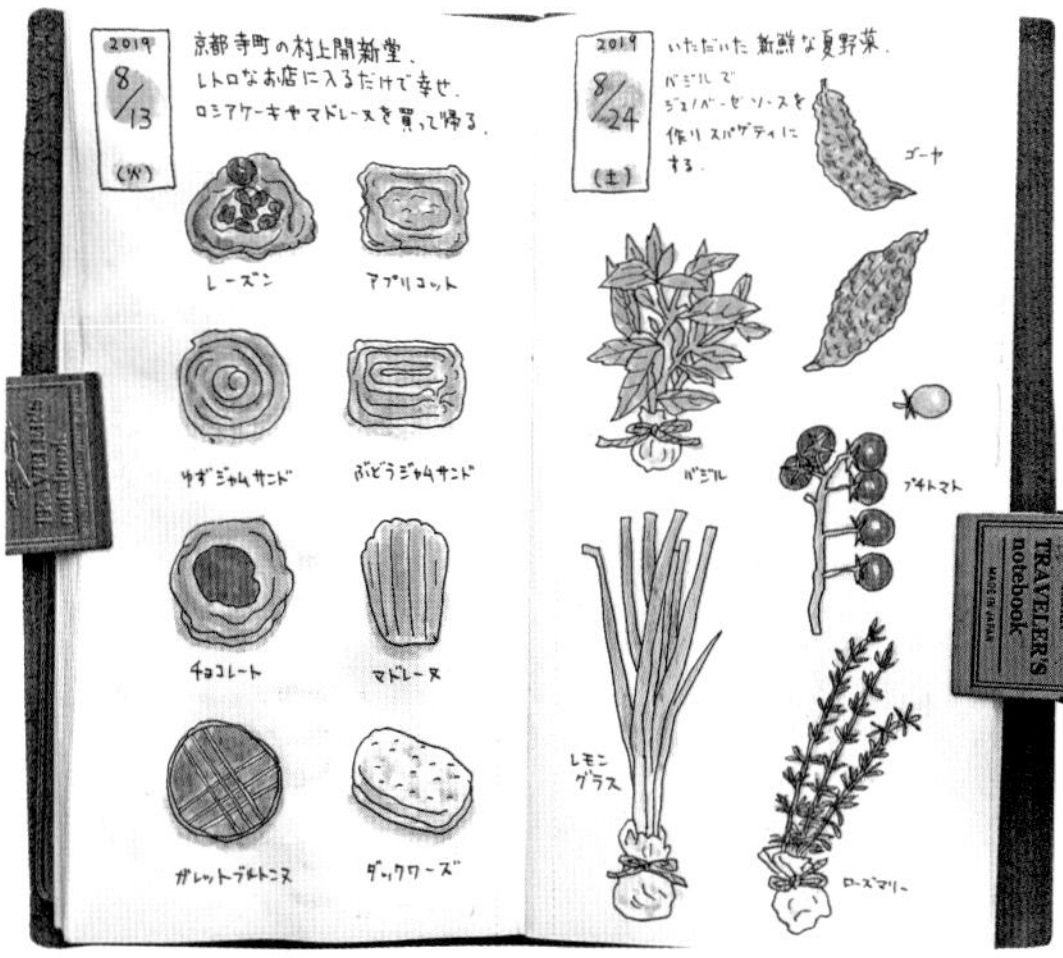

「gooいまトピ」に連載しているレシピ※で2019年夏に描いたゴーヤチャンプルーとサバ缶ラタトゥユのイラスト。季節に合った素材を使い、調理の工程も丁寧に描いています
※https://ima.goo.ne.jp/column/writer/66.html

Recommended Stationery

Tamyさんの
おすすめ
文房具

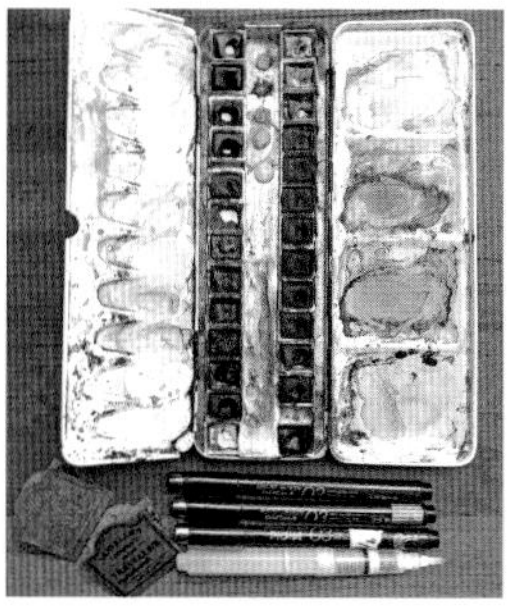

ウインザー＆ニュートンとクリップ

ペンはピグマ（サクラクレパス）を使用。絵の具は英国製で、高校生のときのお年玉で購入して以来、買い足しながら三十年以上愛用しています。トラベラーズノートのクリップはSNS用撮影で活用。

ホルベインのアルビレオ

イラストの仕事では大阪発祥ブランドの水彩専用紙のB5サイズを使用。ブロックタイプで水を含んでも反りにくく、いろいろ探した中で最もお気に入りに。

ぺんりさん　Instagram：@penri23

0歳の娘と夫の3人で暮らす会社員。イラストの筆記具はコピックマルチライナー、彩色はクリーンカラーリアルブラッシュを愛用。ほぼ日5年手帳に記している育児日記も人気。

明日どうしよう？ を解決！ 手帳で毎日の献立を一括管理

マンスリーにその日の食事をイラストで記録。ウィークリーはあえて色を使わずシンプルに仕上げている。賞味期限が短い食材を横にメモして使う優先順位を分かりやすくするなど、細かな試行錯誤で書き方を常に進化中。

その時々で程よく良く工夫 食事の考案や準備が楽ちんに

福岡発のブランド、ハイタイドの手帳「レプレ」や、2019年から使い続けるほぼ日手帳に、食材や買い出しのリスト、朝昼晩の献立予定、子育ての合間に訪れた美味しいお店などを書いています。子どもが生まれ、効率よく家事をしたくて、一括管理できる手帳に書き始めたのがきっかけです。

改良を重ね、そのときどきで最もぴったりの書き方を模索します。変更や失敗を恐れずに書きたいものをガンガン書きつつ、文字の位置や大きさは揃え、線は目分量で凝りすぎず適当に——毎日書き続けるため、程よく工夫しています。

欲しい食材や献立、家事などのやることリストをこのノート1冊にまとめることで「明日どうしよう？」と迷うことが減り、メニュー考案や買い物準備も楽ちんに。日々の息抜きになっています。

書き出すことで自分の中の考えがまとまり、残った記録も宝物です。いろいろ試しつつ、楽しく続けられたらと思っています。

4日は柑橘系のカルピスにタピオカを入れて飲みました。タピオカは書けていないですが（笑）。焼き魚を描くのが好きで、30日のサバも力作です。2018年は鮮やかに着色しましたが、2019年はあえてモノクロで書いています。マンスリーの書き方もその時々で変化します。

このページは撮った写真を見ながら、黒いペンで輪郭を描いた後、1カ月分をいっきに着色。1マス塗るのに要した時間は5～10分。サワラは描きやすく、野菜炒めや鍋物など、こまごましたものは仕上げるのが大変でした。

ぺんりさんのおすすめ文房具

Recommended Stationery

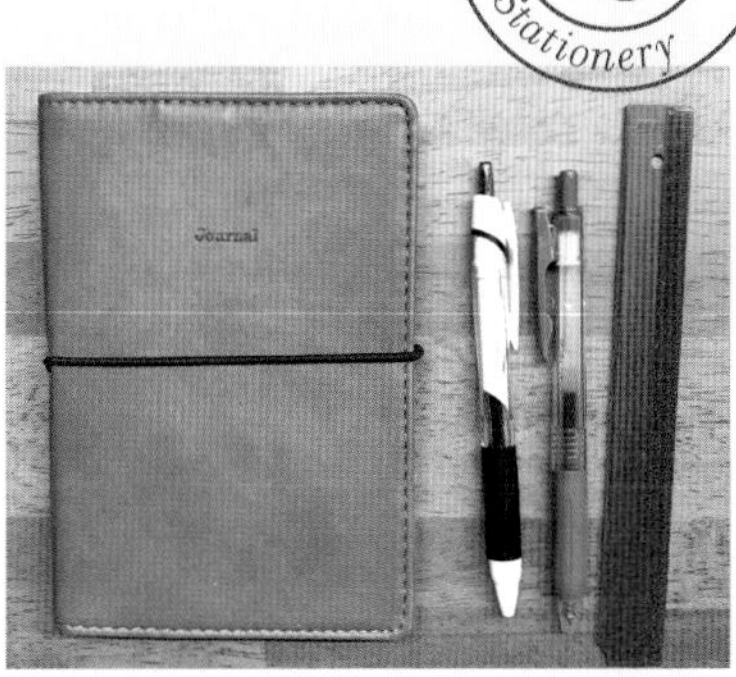

レプレ（ハイタイド）と愛用のペンたち

シンプルなデザインで、カバーの種類が豊富。紙質はさらさらと書きやすく、少し分厚めなので透けづらいところがお気に入り。文字はするする書けるジェットストリーム（uni）、線はサラサ（ZEBRA）のグレーで主張しすぎないように工夫しています。

KAORUさん Instagram：@hobo24kaoru

夫・子（長女・高2、次女・中3、三女・小5、長男・小2、次男・2歳）5人の子どもを育てる。ほぼ日手帳を愛用しており、写真やイラストを交えたカラフルな育児日記。

育児

スマホで撮った子どもの写真をプリントしてアルバム代わりに

育児日記には子どもの様子、体調、保育園でのできごと、身長や体重などを記入しています。おしゃべりをするようになってからは、おもしろかった言い間違いも記録。「おもしろい!」と思ったら、忘れないようすぐに付せんにメモします。

子どもたちの「面白い」を書き留める育児日記

　子どもが5人いるので、日々慌ただしくしているうちに、子どもたちが小さかったころの記憶があいまいになってしまいます。このまま忘れていくのは寂しいなと思い、育児日記を書くことにしました。毎日リビングにある自分の机でノートを書いていると、子どもたちの面白い会話がたくさん聞こえてきます。子どもの成長はあっという間。1日10分だけでもじっとわが子を観察してみると、面白い発見がたくさんありますよ。

　ノートには、読み返したときにほっこりするできごとを書くようにしています。落ち込んだり、いやな気持ちになったりするようなことは、忘れるために残しません。育児には思い通りにいかないこともありますが、そんなときにこの日記を読み返すと、気持ちが切り替えられます。また、悩みを書き出すと自分自身を客観視できることも。このノートが将来、子どもたちの子育てのヒントになるといいなと思います。

ほぼ日手帳のカズンサイズに、同シリーズの方眼ノートをはさんで使用。以前は1日1ページだったのですが、子どもと関わる時間が増えたので、2日で1ページにしました。

毎日子どもの写真をスマホで撮り、3~5枚の写真をアプリでコラージュ。スタンプや文字を入れ、プリントして貼っています。さらに子どもの似顔絵を描いたり、シールやペンでカラフルにしたりしています。

この子がお腹の中にいる時から、妊婦検診の結果や体調などを日々記録しています。育児日記はフォトアルバムがわりでもあるんです。

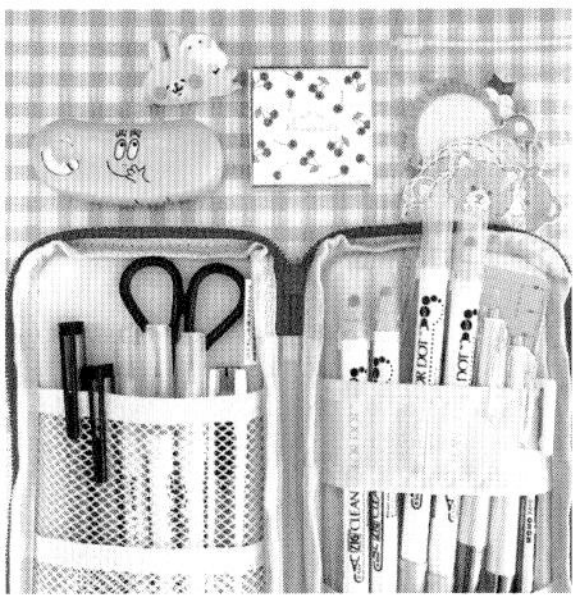

字を書くときは、スタイルフィット(uni)の0.5㎜、0.38㎜の黒を使用。イラストはコピックマルチライナー(トゥーマーカープロダクツ)の0.3㎜・0.1㎜・0.03㎜の黒、クリーンカラードット(呉竹)などで描いています。

ノートは、ママの気持ちがいっぱい詰まったアルバムになるよう、子どもにお手紙を書くような気持ちで記しています。将来、子どもが大きくなったときに一緒に見たいですね。

写真やシールを貼り付けるので、1年が終わるころには手帳が分厚くなるのがうれしいです。毎年いろいろなカバーが発売されているので、選ぶのも楽しい。

小さい時ならではの言い間違いを残したくて、月初めのページに語録を作成。あらかじめマスキングテープを貼り、すぐに書き込めるようにスペースをつくっています。

おふみさん　Instagram：@ofumi_3

夫婦2人暮らしのブロガー、イラストレーター。ブログ「ミニマリスト日和」を運営中。著書に『夢をかなえるノート術』、『ミニマリストの部屋づくり』（ともにエクスナレッジ）、『バッグは、3つあればいい 迷いがなくなる「定数化」』（KADOKAWA）などがある。

コーディネートをイラストに！ノートでおしゃれをもっと楽しむ

1シーズンに10着程度を着まわして3～4パターンのコーデを用意。これを制服のように順番に着ていきます。私の中では「私服の制服化」と呼んでいます。

着る物も買う物も記録して日々の迷いや失敗を防ぐ

最初は散らかった部屋をきれいにすべく、整理するものをノートに書き出すことから始めました。手放すものをノートに記録して、写真に撮ってＳＮＳに投稿。そうすれば人の見る目を意識して、整理を習慣づけられるのではないかと思ったのが、ノート活用のきっかけです。

今は手持ちの服やコーディネートのイラストをメモと一緒に記録したり、買い物リストやしたいことリストを書き出したりしています。私のノート活用のテーマは「1軍のクローゼットづくり」と「頭の中の整理」。コーディネートをパターン化してノートに書いておけば、毎朝着る服に困らずに済みます。

またノートのメモやリストをスマホで撮影して買い物に持参。お店に着いてからスマホの写真を見返すことで、何を買っていいかわからなくなることも、衝動買いも減りました。おしゃれを我慢せずに楽しむためにも、ノートの活用はおすすめですね。

現在は、ほぼ日手帳のday-freeを使用。水彩ペンで絵を描いても裏移りせず、絵日記に最適です。日付がないフリーページが多いので、空きページを作らなくて済むところもいいですね。

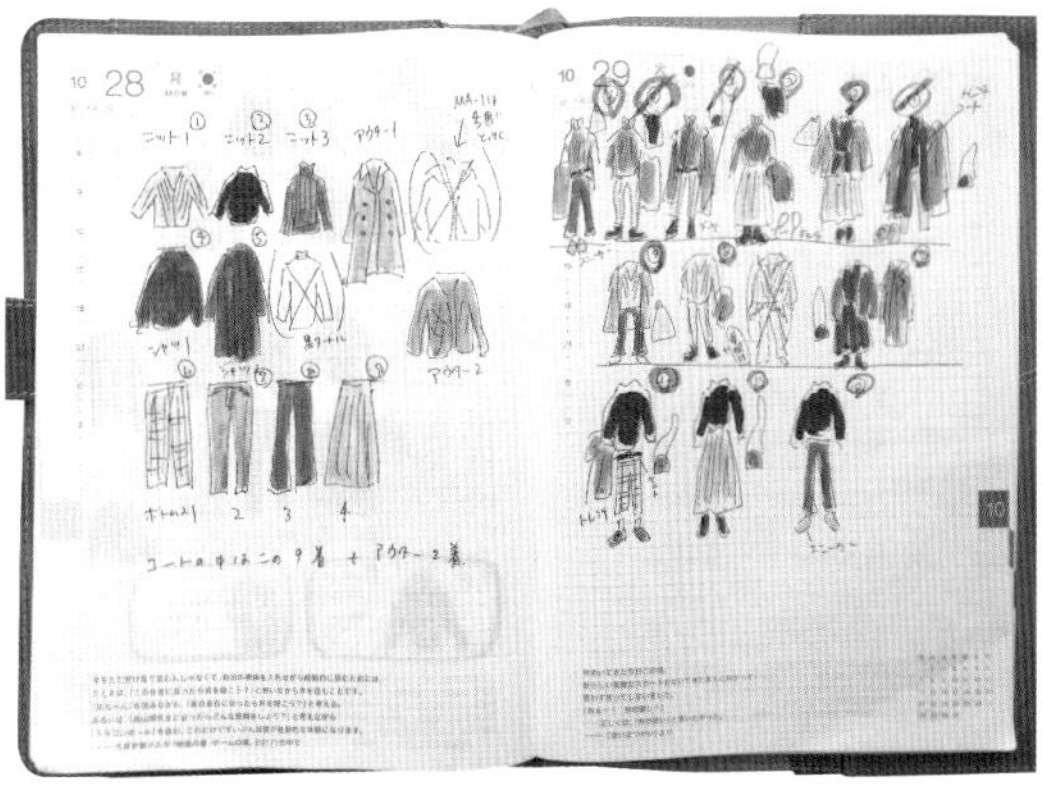

まずはアイテムを書き出して、コーディネートの設計図をつくります。コーディネートを"制服化"する際は、服の選定→組み合わせの検討→コーディネートの決定＝制服化、という流れ。

同じ季節の中で同じ人と会うときに、前回何を着たのか忘れてしまうことがあるので、着た服を毎日メモするようにしています。

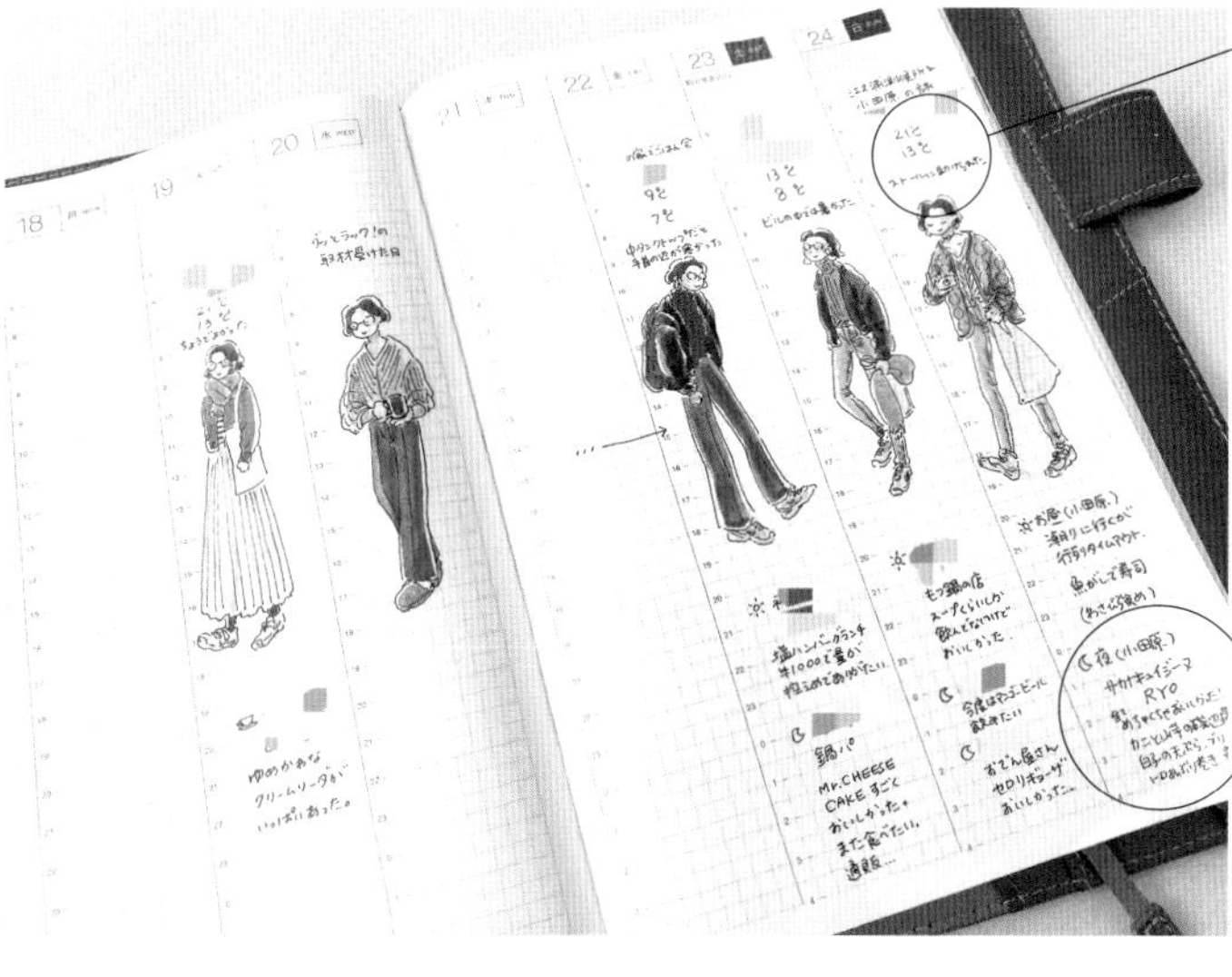

その日の最高気温と最低気温、このコーディネートで正解だったかどうかの感想もメモしておくと、後々になって天気予報を見ながら服選びをする際の参考になります。訪れた飲食店のメモもしておくと後日再び行きたくなった時に便利です。

Recommended RS Stationery

おふみさんの おすすめ文房具

ノート書き出し用のペン5本

ノートに書き出す時にいつも使っているのはこの5本。見出し用には筆ごこち（呉竹）、着色にはクリーンカラーリアルブラッシュ（呉竹）、絵の輪郭線で細い部分を書く際はピグマ005（サクラクレパス）、輪郭の太い部分や書き込みの文字にはピグメントライナー 0.1㎜（ステッドラー）を使います。製図用シャープペン925-07（ステッドラー）は下書き用。

まずは鉛筆などで下書きを書くこと、簡単な見出しをつけること、絵を描くという行為を楽しむことをルールに決めて、活用しています。

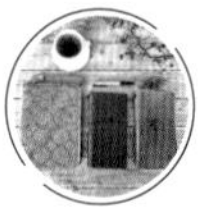

たまさん　Instagram：@apollo.a_a

夫、2人の娘と暮らす専業主婦。ファッションだけでなく、内容に応じて5冊のノートを使い分ける。カフェ風のおしゃれな写真が人気。

ファッション

好きなモノで好きな時間に「未来の自分」へ記録を残す

その日の自分と子どもの服装、パジャマ、購入品などを記録。気温なども記録しているので、年度ごとの参考にも。書くとき、見返したときに自分が楽しい気分になる見た目を意識している。

ルールや方法を決めず"楽しく"記録をつける

私がノートを書くようになったのは、出産がきっかけです。家でもできる趣味を見つけたいなと思っていたときに、Instagramで日記やスケジュールを手帳やノートに書いている主婦の方の投稿を見て、私もやってみようと思いました。

いつも意識しているのは、楽しく書くということ。そのために、書けない時間があっても罪悪感を抱かないようにしています。書く意欲がわかないこともありますが、そんなときには何日でも何カ月でも休んで、自然と書きたくなるタイミングを待ちます。空白ページも、その当時の状況を思い出すきっかけになるんです。ノートや文房具の使い方についても、とくに細かいルールは設けていません。

また、書くときもそうですが、見たときにも楽しくなるように、シールやマスキングテープで装飾し、季節感を出すなどアレンジもしています。何をどんなふうに書いても自由なところが、私にとってのノートの魅力です。

体調記録

家族の身体の不調やケガ、通院の記録をしています。かかりやすい病気の振り返りにも活用できるので便利です。

雑日記

日記、雑記を自由に書き、マスキングテープなどでデコレーションを楽しむノートです。このページは、家族で七夕の短冊に書いた願い事をメモしています。

献立ノート

献立やスケジュールなど、予定が変わりやすいものはすぐ動かせるように付箋に書き、変更があれば書き直さずに移動できるようにしています。

写真

ノートを撮影するときは、必ず自然光で撮ることと、フレーム内の物の位置や余白など、全体のバランスを意識しています。スイーツが写り込んでいることが多いのは、おやつタイムが好きだから（笑）。手帳を書いてInstagramに上げながらおやつを食べるのが至福の時間です。

Recommended Stationery

RS

たまさんの
おすすめ
文房具

ペン

MDノート（ミドリ）に書くときは万年筆でインクの色を楽しんだり、マスが細いノートにはスタイルフィット5色ペンの0.28㎜（三菱鉛筆）を使ったりと、ノートによってペンも使い分けています。

テープのり

付箋の端もしっかり押さえられるように、仕上げにテープのりで補強します。

マスキングテープ

貼るだけでアクセントになります。色は茶系が多め。

イヤホン

家族がまだ寝ている静かな早朝に、音楽を聴きながらノートを作成することが多いです。音楽を聴きながら作業すると没頭できます。

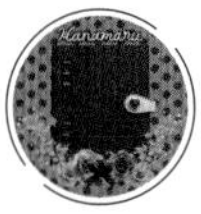

はなまるさん　Instagram：@hanamarururu32

文房具とシール集めが趣味。シールでデコレーションしたかわいい手帳やノートがインスタで人気。ダイエットを記録したガールズノートは雑誌でも紹介された。

雑記

ノートの活用方法は無限大 トキメキがつまった仕掛け絵本

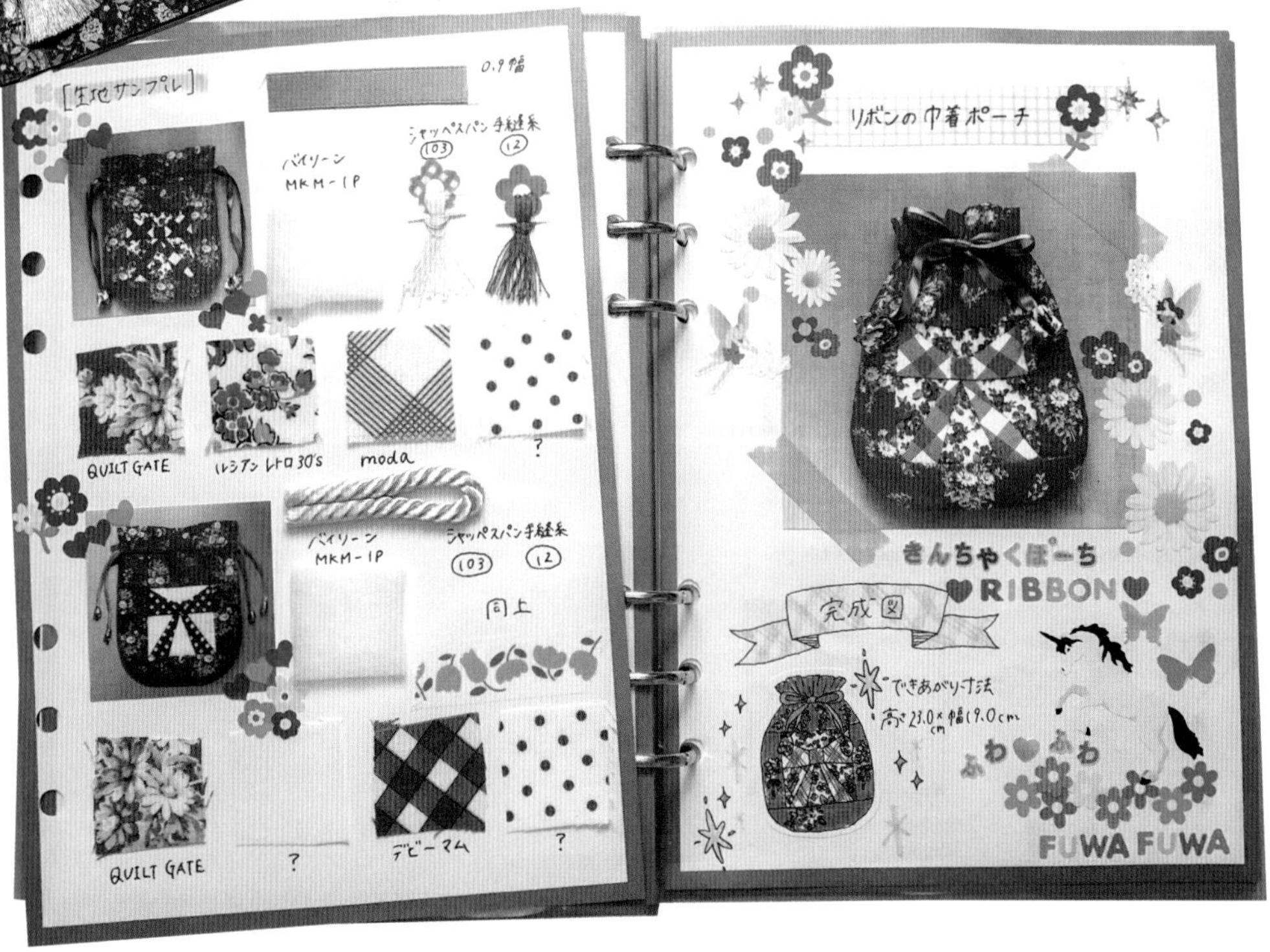

趣味の手芸専用ノートです。制作工程や素材、完成品の写真などをアーカイブ。次の作品に向けたデザイン画やイメージマップのリフィルも挟んでいます。自作した表紙の花柄デコパージュもお気に入り！

ノートは自分と向き合う時間 〝眺めて癒される〟がテーマ

2年前に体調を崩したのをきっかけに、毎日の生活を記録するためにノートを書くようになりました。今やノートは、自分だけの本。書いていると自分の本音と向き合え素直になれます。集中して書くと呼吸も深くなるので、きっと健康にもいいはず……と勝手に思っています（笑）。

今はヘルスケアだけでなく、趣味の手芸や日常のインプット・アウトプットなど、内容ごとにノートを制作。それぞれにテーマカラーがあり、世界観を統一しているのが特徴です。

どのノートもチープに見えないように、字を詰めすぎずイラストやシール、余白の割合を多めに取ることを意識。また、ハンドレタリングも取り入れています。さらに趣味で集めたシールで、かわいくページをデコレーション。とにかく丁寧に作りこんでいます。

どのノートもページをめくると好きな写真や色、かわいいシールが出てくるので、疲れたときに見ると、元気が湧いてきます。

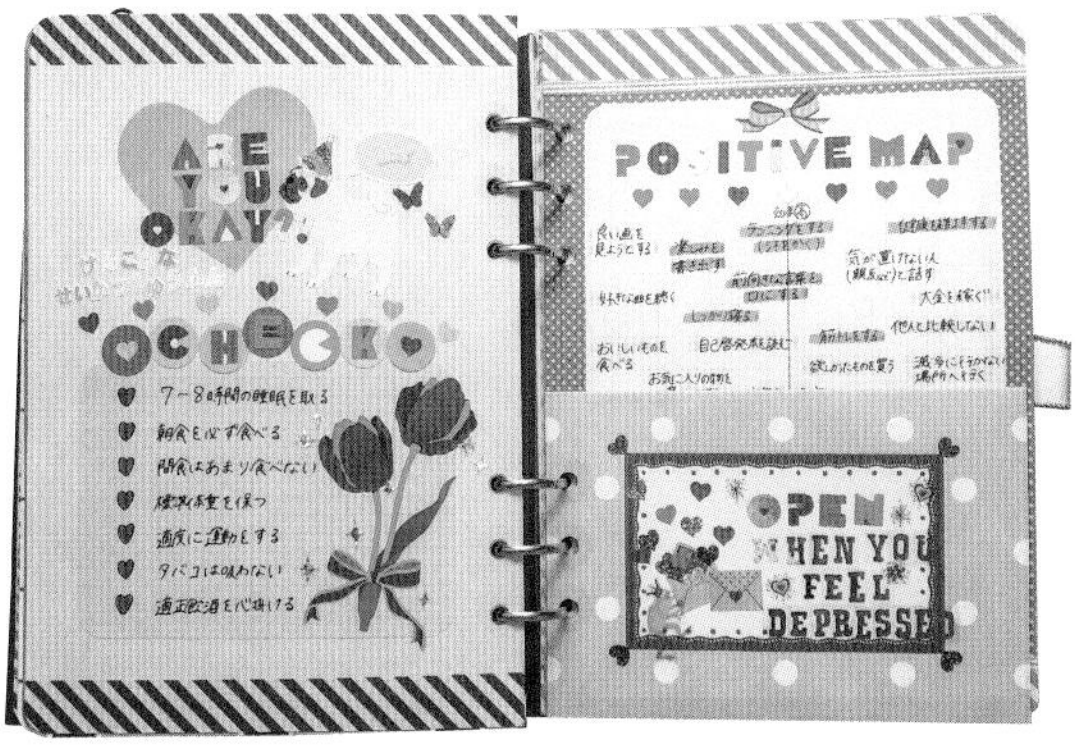

毎月1回書くダイエットノートで、こちらもclipbookを活用しています。簡単な健康チェック表や筋トレメニューなどを記入。穴を開ければ何でも挟めるため、落ち込んだときに開ける封筒をつくり、自分を元気にするヒミツのアイテムを入れています。

毎日書くバレットジャーナルはclipbookのA5サイズ・赤（Filofax）を使っています。180度開くので書きやすいです。鮮やかな表紙がお気に入りのポイント。中身は自作のリフィルを使いスケジュールやセルフケアなどをまとめています。

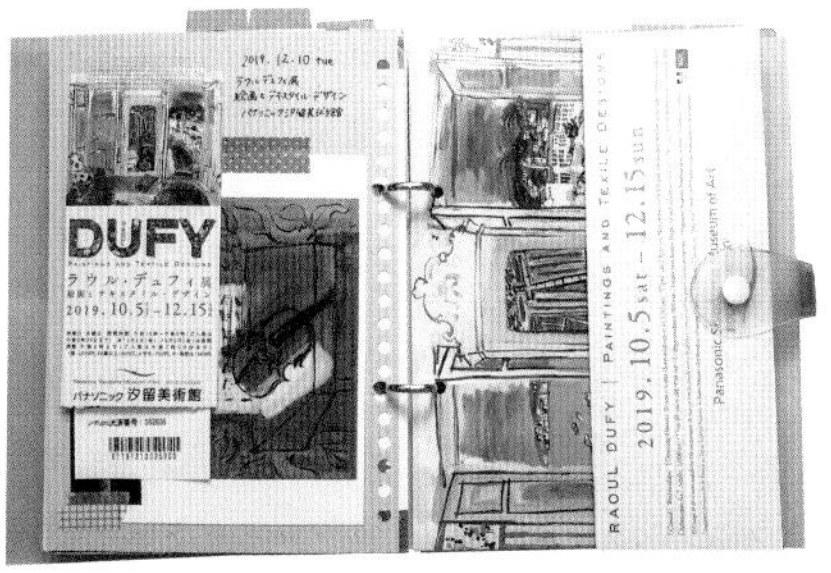

特別なことがあった日だけ書くノートには、シンプルでおしゃれなルーズリーフ（無印良品）を使用。アイデアや美術館めぐり、好きなアーティストのMVの感想などアウトプット専用です。

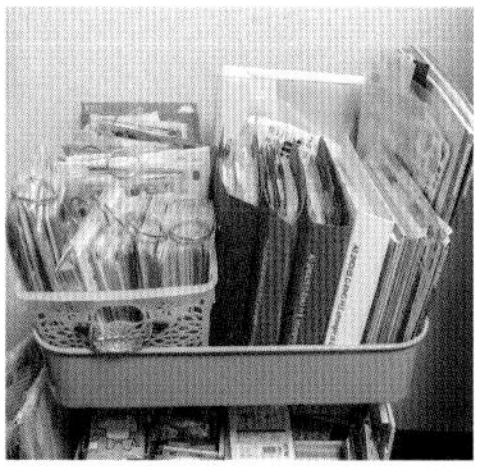

趣味で集めたシールは10年分は、ワゴンに収納しています。

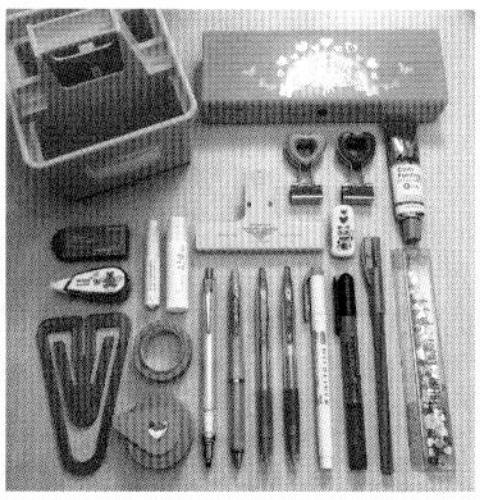

ついつい集めてしまうピンク色の文房具。

毎週１回書くインプットには、ミディアムA5ハードカバー（LEUCHTTURM 1917）を使用。コラージュで厚みが出ても形をキープでき、写真や雑誌の切り抜き、気になるお店をまとめるのに便利。カラーバリエーションが豊富で、本棚に並べるとカラフルでかわいい！

Recommended
RS
Stationery

はなまるさんのおすすめ文房具

つい集めてしまう大好きなミセス・グロスマンのグッズ

カラフルなステッカーでおなじみのミセスグロスマンが大好き！ステッカーだけでなく、ノートやクリップ、小物入れなどたくさん使っています。

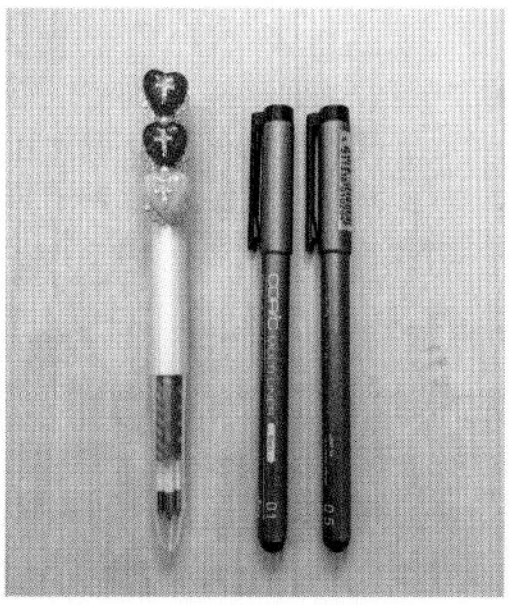

文章を書くときはuniスタイルフィット

統一感を出すため文字を書くときはuni スタイルフィット、イラストはコピックマルチライナー 0.1と0.5で書くと決めています。スタイルフィットはよく使うので、手帳に合わせてかわいくデコレーションしました。

nakami さん　Instagram：@mmmm_0813

夫と子ども2人と暮らす会社員。能率手帳ゴールドをメインに、手帳やノートライフを楽しむ様子をインスタで更新している。

雑記

書いても読んでも気持ちが上がる ノートを開いて気分転換

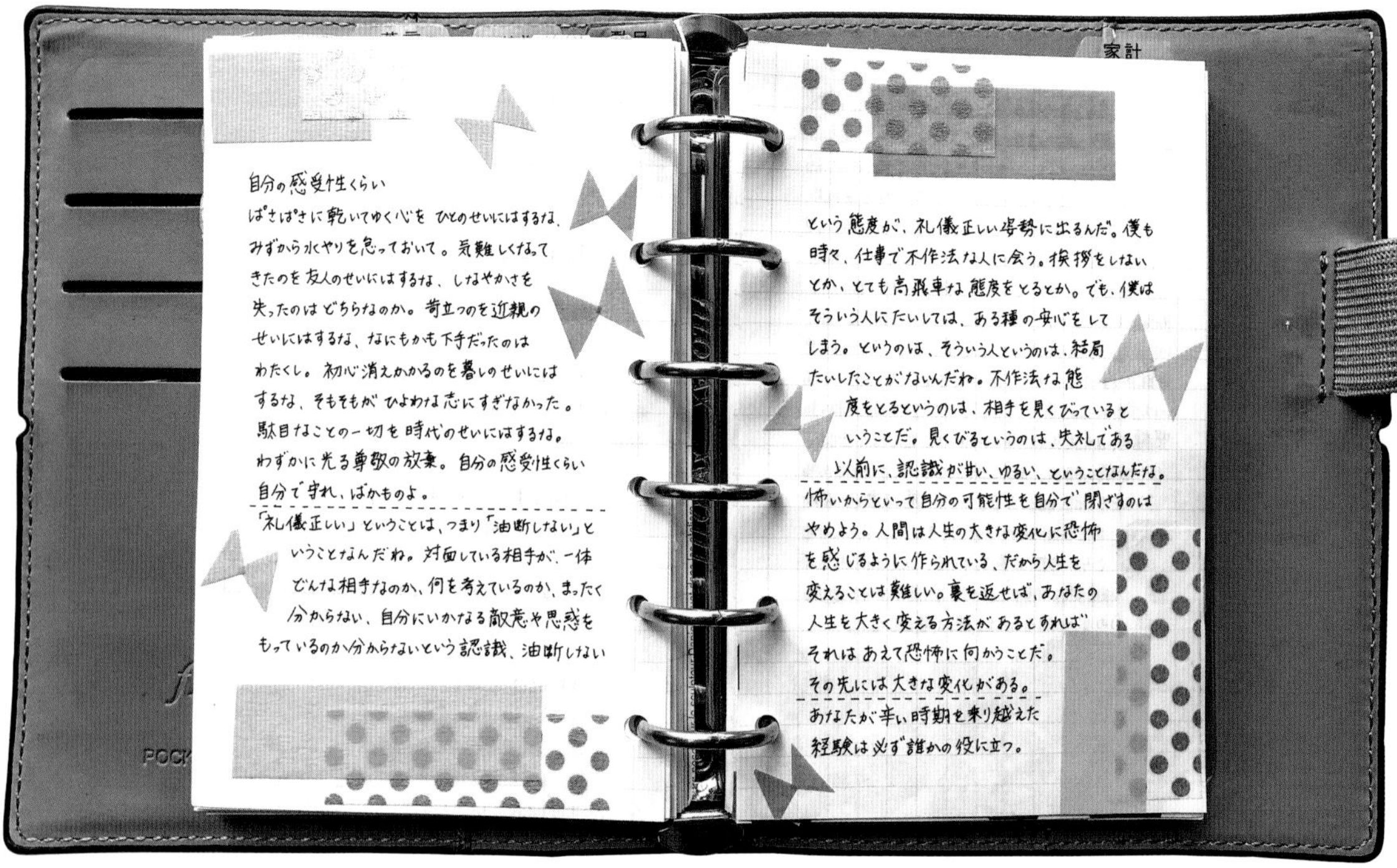

ノートは書きたいときに書くのが基本。スキマ時間も活用し、場所を問わずノートを開きます。言葉を書き写していると無心になれるので、写経をしているような感じです。

自由にアレンジして楽しむ 自分が満足できるノート

手帳は1年で変わるため、せっかく書いた言葉もなかなか読み返す機会がありません。そこで、手帳とは別にノートを持ち歩くようになりました。ノートの魅力は、手帳のように決まったフォーマットがなく、好きなようにアレンジできることだと思います。私の場合は、無地やシンプルな柄のマスキングテープを組み合わせ、いろいろな形に切って貼り、ページをデコレーション。主に、いいなと思った言葉を書き写しています。とっても楽しくて癒しの時間です。

ノートには、日常生活の中で出会った名言や書籍で印象に残った文章などを記録しています。言葉を選ぶ基準は、読み返したときに自分が楽しめるかどうか。ポジティブになれる言葉が多いので、気持ちが落ち着かないときに読むと、良い気分転換になります。ノートや手帳を書きたいけど、書くことが見つからないという方には、暮らしの中で心に残った言葉や名言を書き写すところからはじめてみるのがお勧めです。

携帯に便利なサイズがうれしいドミノ ミニ6（ファイロファックス）を使っています。システム手帳にはめずらしいゴムで留めるスタイルもお気に入り。

システム手帳タイプのため、途中でページを増やしたり減らしたり、自分で好きに編集できるのが魅力です。私は目標や占い、リスト類をまとめるのに使っています。

水玉が好きです。好きな色の組み合わせと、水玉がうまくマッチしたデコレーションページが作れたときはとてもいい気分。

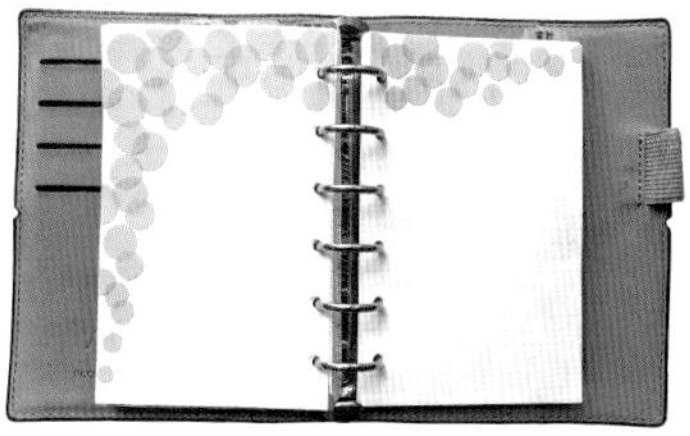

マスキングテープを四角に切って、春の花をイメージしながら作りました。どのページもデコレーションをしてから文字を書いています。

Recommended RS Stationery

nakami
さんの
おすすめ
文房具

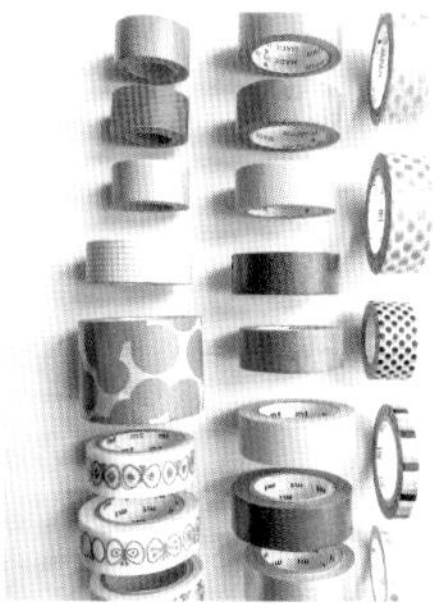

デコレーション用のマスキングテープ

マスキングテープは私のノートの必須アイテム。地色が白いものを使うと、貼ったときに紙になじんだ雰囲気になるので好きです。

文章は白・黒・グレーでシンプルに

ペンは書き心地と細さがポイント。黒ボールペンはジェルインクの0.3㎜以下のものを使っています。グレーのインクも好きで、アクセントに活用。白いペンはマスキングテープの上や黒いベタの上に書くときに使っています。

さーやさん　Instagram：@saya_3388

30代会社員。ほぼ日やトラベラーズノートをカフェで書くのが何よりの休息時間。美術展は欠かさずチェックするほか、カフェ好きが高じて、お茶専門店のオンラインショップをのぞくのが楽しみに。

雑記

スタンプやマステでかわいくデコ「好き」を集めたマイアルバム

おいしいもの、かわいいもの、楽しかったことを詰め込んだノート。スタンプを押してふんわり色付けしたら、内容に合わせてデコレーション。この日はリップが入っていたお守り袋の柄に合わせて、スタンプやマステもネコモチーフに。

3つのノートを使い分け 些細な幸せが暮らしを彩る

社会人になって仕事のタスク管理やメモとしてノートを使い始めたのですが、Instagramなどでマステやシールでかわいくまとめている方の投稿を見て、デコレーションを始めました。プライベートでもノートを書くようになり、今に至ります。

自分好みにカスタマイズしやすいトラベラーズノートはカフェやお出かけ記録として、1日1ページでたっぷり使えるほぼ日プランナーは好きなもののスクラップとして活用。持ち運びしやすいスリムなほぼ日WEEKSには、ウィッシュリストや気になったニュースをほぼ毎日、記録しています。

イラスト代わりにスタンプを愛用し、3～4色のテーマカラーに沿ってマステやシールを組み合わせてデコります。自分の好きなものをたくさん詰め込んだノートは、書いても見返しても楽しく、好きが何倍にも膨らみます。書き留め続けることで些細なことから幸せや楽しさを見出すことも得意になり、日々の暮らしを彩っています。

お茶専門店の期間限定商品のパッケージにちなみ、つるしびなや桃、春爛漫な桜のデコレーション。商品のPR文も添えると雰囲気をより堪能できます。

きれいな色使いや紙を使ったコラージュに大満足だったレオ・レオーニ展。美術館のチケットは存在感大で、マステが良いアクセントになっています。

父の日の贈り物に買った豆菓子の包装にヒントを得て、夏をテーマにしました。シールはマイナーな動物シリーズのクアッカワラビーです。

愛用するノート3種類。左から、トラベラーズノート、ほぼ日プランナー、ほぼ日WEEKS。スターバックスとのコラボやミナペルホネンなどのカバーもお気に入りです。

2月はチョコレートのデコレーション。ミナペルホネンの定番柄、タンバリンのマステにチョコのシールを合わせたらサイズ感ぴったり。

Recommended RS Stationery

さーやさんのおすすめ文房具

大活躍のスタンプ

イラスト代わりに使えるかわいいスタンプが大好きです。タスク管理にも、デコレーションのワンポイントとしても活用できます。

チャーム

トラベラーズノートやペンケースにアクセントとして付けています。季節や気分に合わせて付け替えるのも楽しみです。

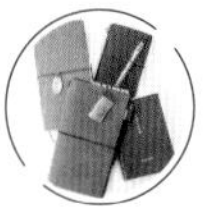

dosukoi さん Instagram：@dosukoi.k

夫と暮らす兼業主婦。普段の暮らしはミニマリスト。NOLTYのバーチカルにトラベラーズノートレギュラーサイズのカバーを付けて愛用。Instagramにはたまに動画もアップしている。

文具でカラフル&ファンシーに！ 欲しい情報がすぐわかる強い味方

左は週間天気予報をスタンプしたウィークリー。カラフルなふせんを活用して買いものややりたいことを見やすく整理。右は用事ごとに日にちを色分けしたマンスリー。文具のシールやふせんが程よいアクセントに。

シールやふせんを大活用 ノートは〝寄り添う存在〟

アイデアや残したい情報をひとまとめにできればとノートづくりを始めました。レシピや家事について書くことが多いです。

質素なページが一気に華やかになるシールや、後から移動しやすいふせんをよく使います。使いたいマスキングテープやカラーペンを迷わずぱっと選べる見本帳のページも作っています。マンスリーのふせんは、大事な用事や買い物、通院と、日にちを用事ごとに色分けしています。ウィークリーのふせんで週ごとに済ませたい家事をまとめ、週間天気予報もフリクションのスタンプで書き込みます。

夫婦でお気に入りのレシピはスマホ専用プリンターで印刷した写真付きでまとめています。忘れがちな家事を思い出せずにイライラする場面を少しでも減らしたい――そこで情報を整理し、かわいくデコレーションした、自分に寄り添うマイノートを持てれば、日々の負担を減らす強い味方となり、ゆとりをもって毎日を過ごせる気がします。

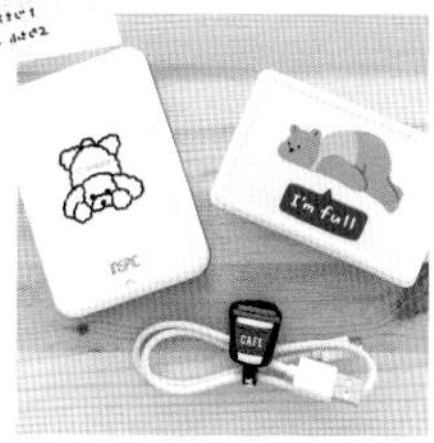

レシピは写真を中心に、タイトルはマスキングテープで彩りを添えています。写真の印刷には手軽に印刷できるiNSPiC（キヤノン）を使用しています。ここでもふきだしのふせんや食材のシールが大活躍です。

ファイロファックスのクリップブックA5サイズを愛用。リフィルを自由に選べ、ページを自在に差し替えられるのでお気に入り。方眼リフィルはバランスがとりやすく、ノートづくりにおすすめです。

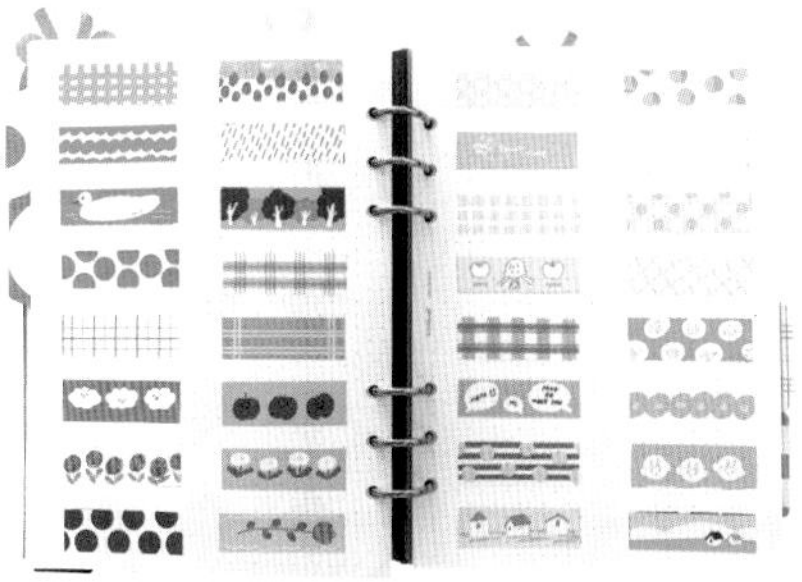

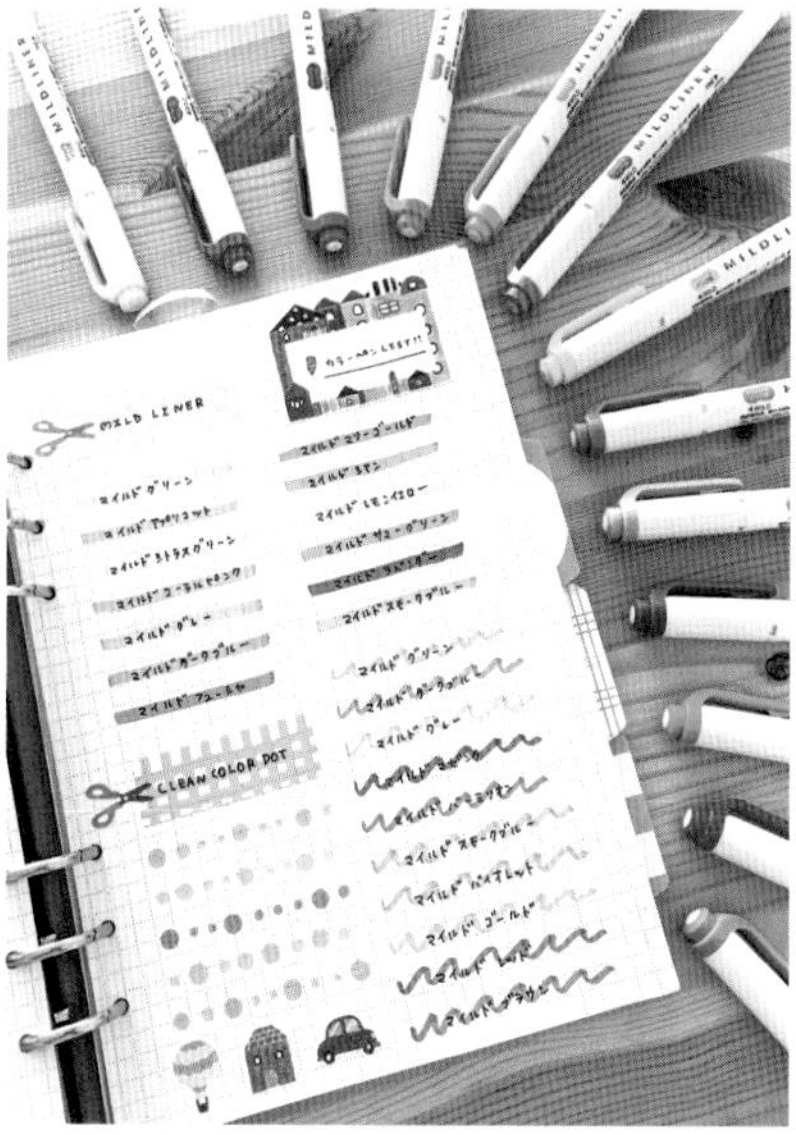

コレクションしているペンやマスキングテープは、見本帳をつくっています。ペンの特性によってラインを引いたりドットや波線にしたり。一目で使いたい色や書き味、模様がわかり、とても便利です。

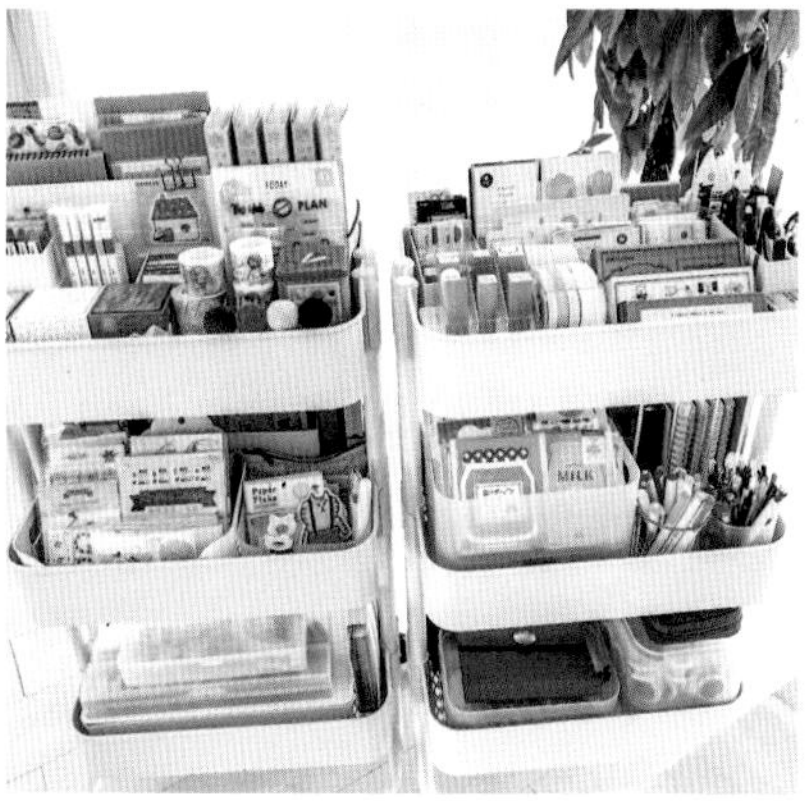

文房具類は、まとめて整理しています。コレクションしているからには、使いたいときに使えて、大切に保管しておきたいですね。

Recommended Stationery

dosukoi
さんの
おすすめ
文房具

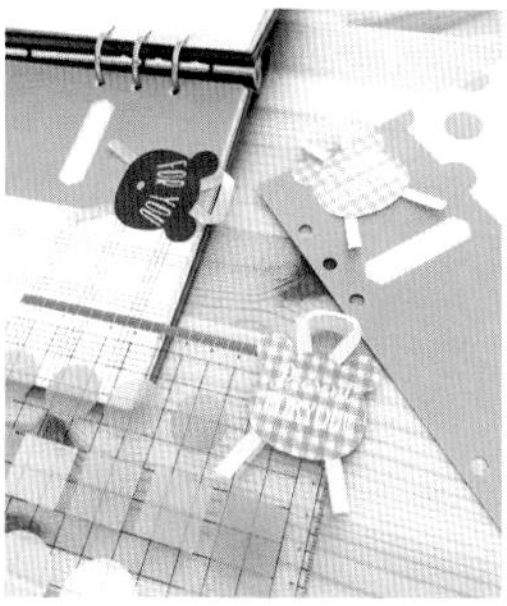

ギフト用シールも手帳に活用

100均で購入したクマのシール。ギフト用だけど手帳のインデックスとして大活躍。リボンと耳がページの上からちょこんと出るのが萌えポイントです。

カラフルなふせん＆シール

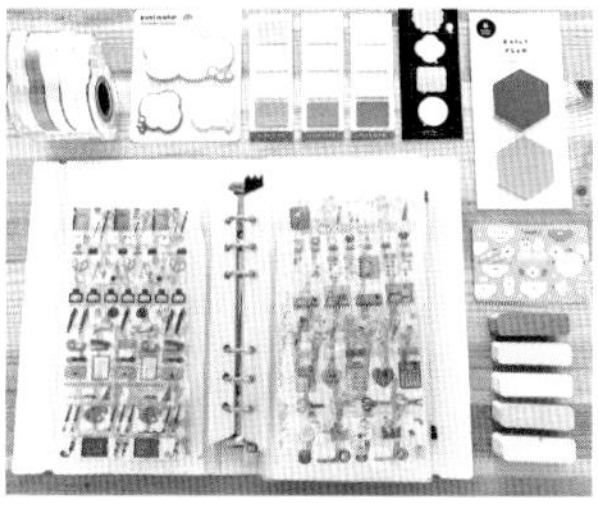

ノートづくりの彩りに欠かせないふせんやシール。購入はロフトや東急ハンズを中心に、文具女子博、100均などでも可愛いお気に入りを発掘しています。

なかむら真朱さん Instagram：@aoooooooon

グラフィックデザイナー。Notebookersのライターも務める。著書に『暮らしと自分を、もっと楽しく整える ごきげん ゆるノートBOOK』（インプレス）がある。

用途に合わせて10冊を使い分け ノートも人生も充実度アップ

仕事のときは効率を重視していましたが、家事や育児は効率よりも機嫌よくいることが大事だと思い、「ゆるくいいかんじ」なノートをめざすようになりました。

ノートは自由に書いていい！ 楽しさを大事にして

子どもができたとき、母という役割だけになってしまったような焦りや、慣れない家事・育児で余裕がなくなっている自分に気づき、手帳術を習いに行きました。その後書くことが習慣になってきて、「もっと書きたい！」と思い始めたころ、notebookersというサイトでいろいろな人が楽しいノートを公開しているのを見て感動。その後は私もシールやマスキングテープでノートをデコレーションするようになり、それをアップしたら反応をもらえて、ノートを使うことがどんどん楽しくなりました。手帳の種類もどんどん増えていき、手帳を1日中書いていた時期もありましたね。ノートを書くことで、1日の中で自分がやっているたくさんのことが可視化でき、些細な幸せに気づけるようにもなりました。

ノートを書く量も時間も人それぞれ。たくさん書いているから、きれいに書いているからいいというわけではないので、自分に合った使い方を探してみてください。

時間管理にはジブン手帳（コクヨ）を使っています。24時間バーチカルが自分に合っていますね。

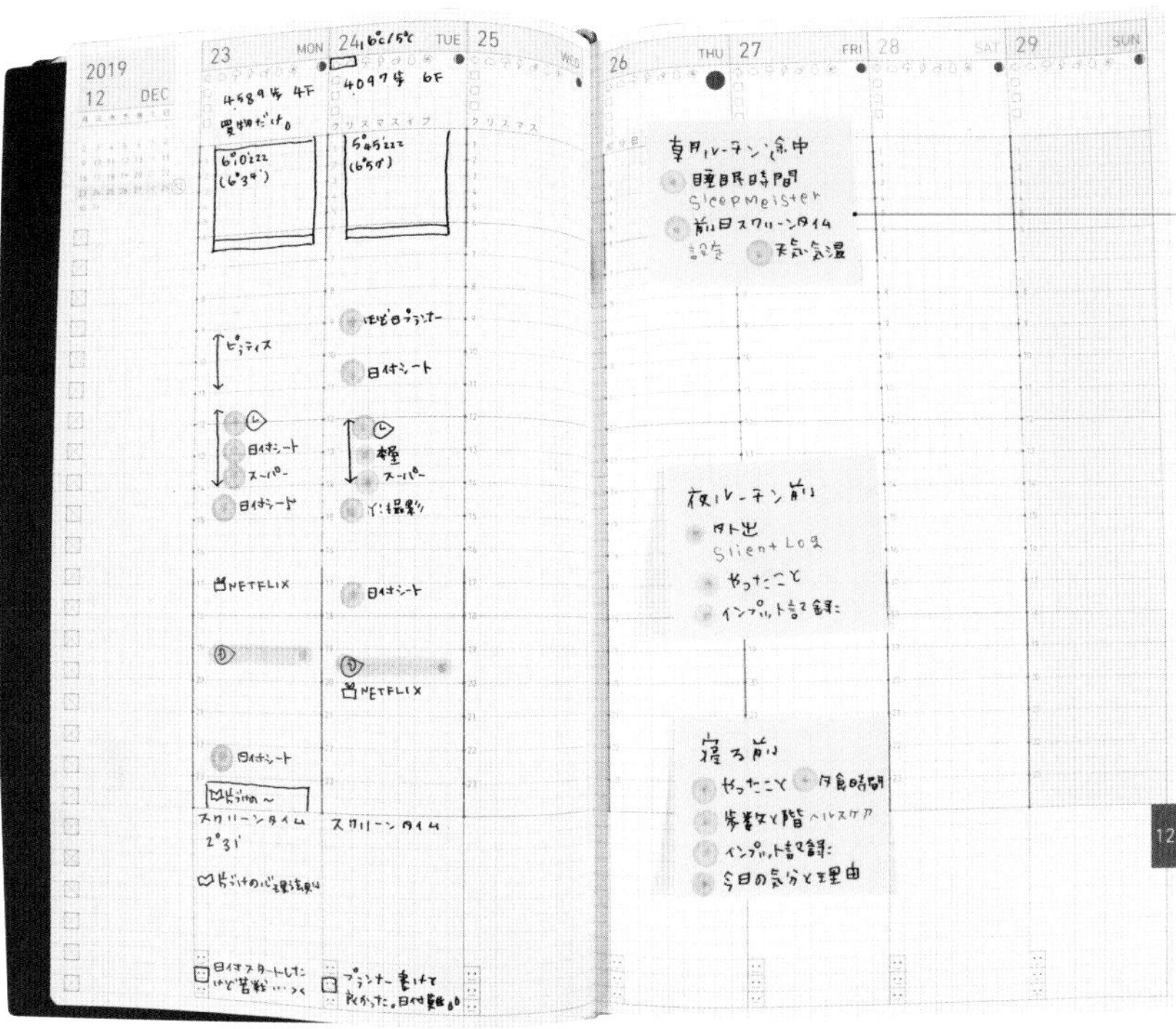

毎日記入する項目は付せんに書いて貼っておくことで、書き忘れがなくなり、続けやすさもアップします。時間を作りたくてノートを書くのに、書くこと自体に時間がかかってしまっては意味がないので、内容や書き方を決めておくことがポイント。

朝起きた際に、睡眠時間と前日のスクリーンタイム（スマホを見ていた時間）を記入。次は、夜ご飯を作りかかるときやひと段落着いたときに、今日の外出や出来事を書きます。寝る前には、今日やったこと、歩数、夕食の時間、気分などを記入します。

「とりあえず書く」ノートには、ほぼ日の方眼ノートを使用。バレットジャーナルのような形でTODOを箇条書きにして、できなかったものは翌日に回します。

その日あったことも都度書いていきます。ひとつのことについてずっと考えてしまうことがないよう、ノートに吐き出してすっきりさせます。書いたものは忘れてしまうので、何度も見返しますね。

用途に応じて10冊のノートを使い分けています。

ほぼ日プランナーには必要な情報をまとめています。調べものをしたときの内容、これから買おうと思っているもののサイズなど、あとで見返すために見やすくまとめて比較的「ちゃんと書く」場所です。2日に1ページほど、時間があるときに書いています。

写真などをプリントしたり、ペンをたくさん使ってノートを書いたりするときは家で書くことが多いです。レイアウトなどの下書きには、以前挫折した手帳の紙を使用。

Recommended Stationery

RS

なかむら真朱さんのおすすめ文房具

ペーパーメッセージ

コラージュにはレターセットの便箋を使っています。イラストシートはネット上で知り合った方が販売しているもの。紙が好きなので、たくさん集めています。

日付シート

自作するようになって4年ほど経ちました。どんなページにも合うようなパターン柄で、忙しいときでも簡単に切れる形にしています。ネットプリントもできるので、いろいろな人に使って欲しいですね。

貼ってはがせるテープのり

ちょっとでも間違えるとテンションが下がってしまう性格なので、失敗したときの保険をかけることのできる「貼ってはがせる」のりは使っていて気が楽です。

素材を使ってノートをデコレーションしよう

なかむら真朱さんは、手帳やノートに使える「#ましゅプリ」を配信しています。日付シートやカレンダーはもちろん、「行きたい所いっぱいシート」「フューチャーログ」などわくわくするものもたくさん！　今回は編集部が #ましゅプリ に挑戦してみました。

#ましゅプリって何？

かわいいノートを作りたいけどなかなかデコレーションする時間がない、という人のために作られた素材。フォーマットになっているので、印刷して、切って、貼るだけで自分だけのノートが作れます。

たとえば…
こんな
#ましゅプリ
があります！

直線のみで、ハサミで切りやすいのがましゅプリならでは！

日付シート #ましゅ日付

（2ヵ月分 ¥120）

ダウンロードはこちら

https://note.com/aooooon/m/mb09614276290

#先月のまとめの会 2020

（無料）

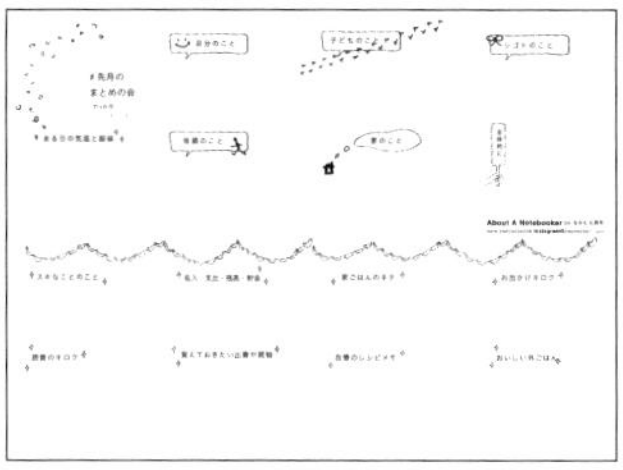

ダウンロードはこちら

https://note.com/aooooon/n/n580e8ec6304c

月1回、自分について振り返ってみよう！

編集部が #ましゅプリ にトライ！

今回
書いたのは…

わたしのクイックガイド

ダウンロードはこちら

https://note.com/aooooon/n/nc2a921e8bbc7

調子が悪いときに、「そういえば……」と調子を取り戻すヒントをもらえるようなシート。手帳のフリーページに貼ったり、折りたたんでミニブック風にしたりして活用できます。

シートをプリントアウトし、さっそく記入。デザインがかわいいのでテンションが上がります。

書き終わったシートを切っていきます。切り方も自由。今回は手帳に貼りやすいよう、横一列ずつ切ってみました。

手帳のフリースペースにマスキングテープで貼り付けていきます。真っ白だったページがあっという間に賑やかに！

就職活動のときの自己分析を思い出しました（笑）。ペンの色やマーカー、マステなどで工夫したらもっとかわいくなりそう！

（編集部T）

シートに書き込むことで、自分について見つめ直すいい時間になりました。「自分だけのノート」ができるのもうれしい。

（編集部S）

完成

Chapter 02

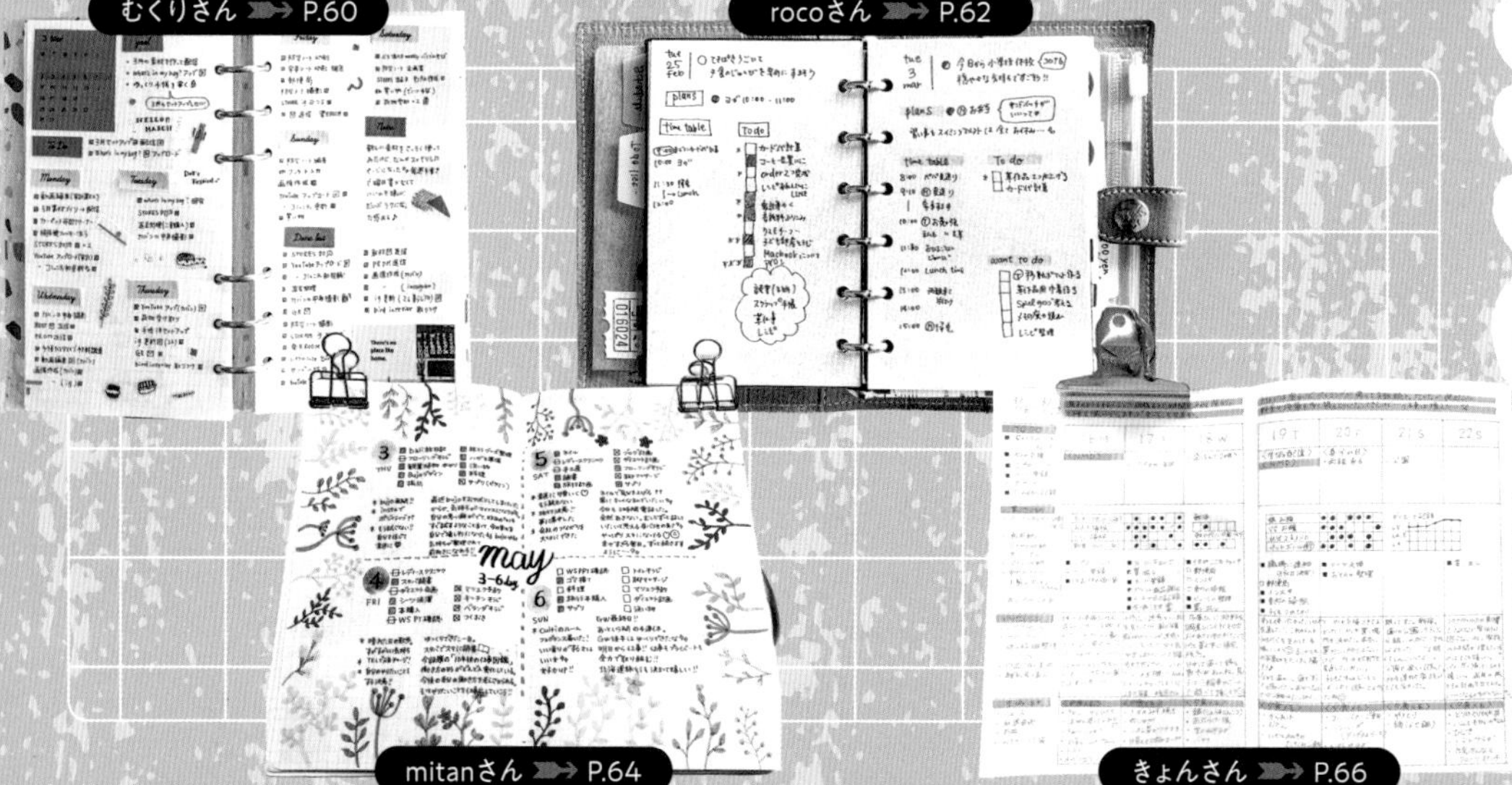

むくりさん ➤ P.60
rocoさん ➤ P.62
mitanさん ➤ P.64
きょんさん ➤ P.66

バレットジャーナルをつくってみよう！

SNSで話題の新しいノート術“バレットジャーナル”。ルールが難しそう、手間がかかりそう……というイメージを持っている方もいるかもしれませんが、実はとっても簡単！自分らしく活用すれば、毎日がもっと充実します。

バレットジャーナルとは

ノートとペンだけで始められるシンプルなノート術。記号を使った「ラピッドロギング」と呼ばれる箇条書きを用いて、予定や目標、TODOリストなどを作成する。自分のライフスタイルに合わせてアレンジしたり、趣味や家計簿など好きなテーマを設定したりすることができ、自由度が高い。

もともとはニューヨーク在住のライダー・キャロル氏が2013年に考案した手法。自身の発達障害に対応するためにこのノウハウを思いつき、動画で公開したところ瞬く間に世界中に広まった。バレット（Bullet）は「弾丸」という意味で、箇条書きの頭につける記号「・」のこと。

バレットジャーナルのメリット

・頭の中を整理できる
・タスクをまとめて管理でき、進捗も一目でわかる
・書いたあとで見返しやすい
・いつでも始められる

バレットジャーナルのはじめかた

01 ノートと筆記具を用意する

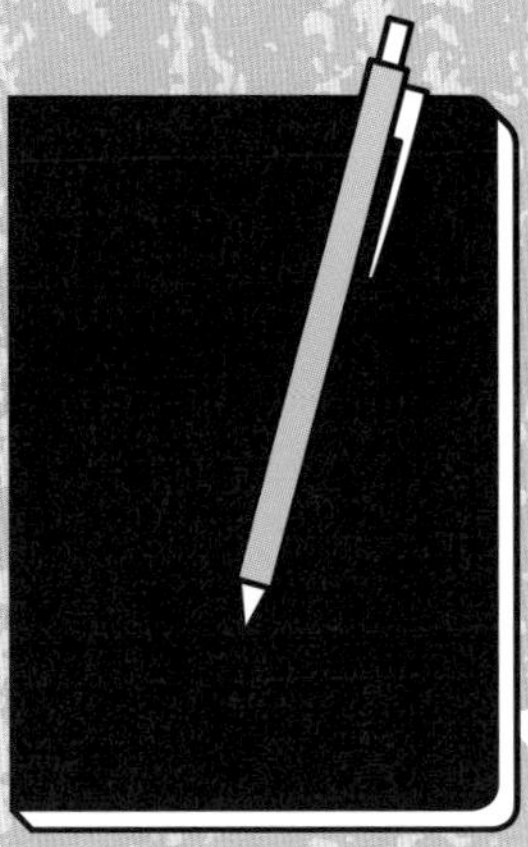

ノートもペンも、何でもOK! お気に入りのアイテムで始めると続けやすくなります。ペンはノートの紙質に合わせて選ぶと◎。試し書きをして、相性がよく書きやすいものを見つけてください。

02 インデックスをつくる

ノートの最初には、どのページに何を書いたかを一覧にした目次のページをつくります。ノートの端にページ番号を振っておきましょう。

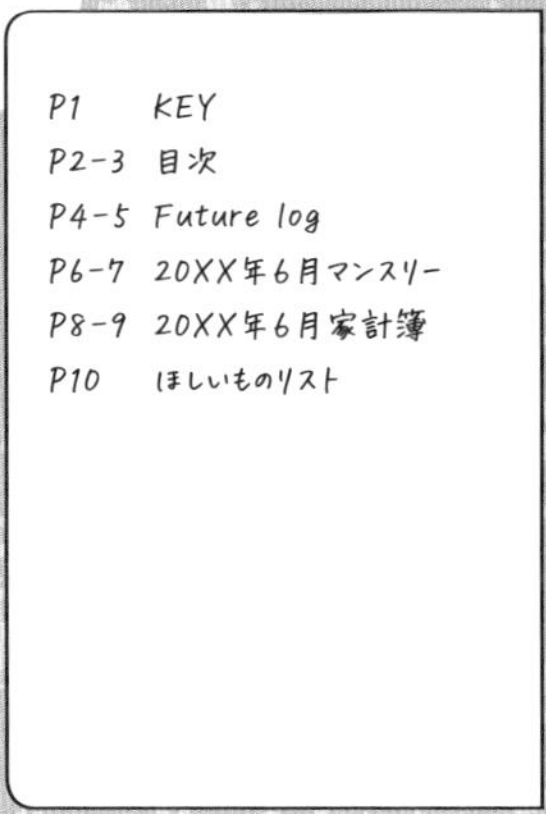

03 フューチャーログをつくる

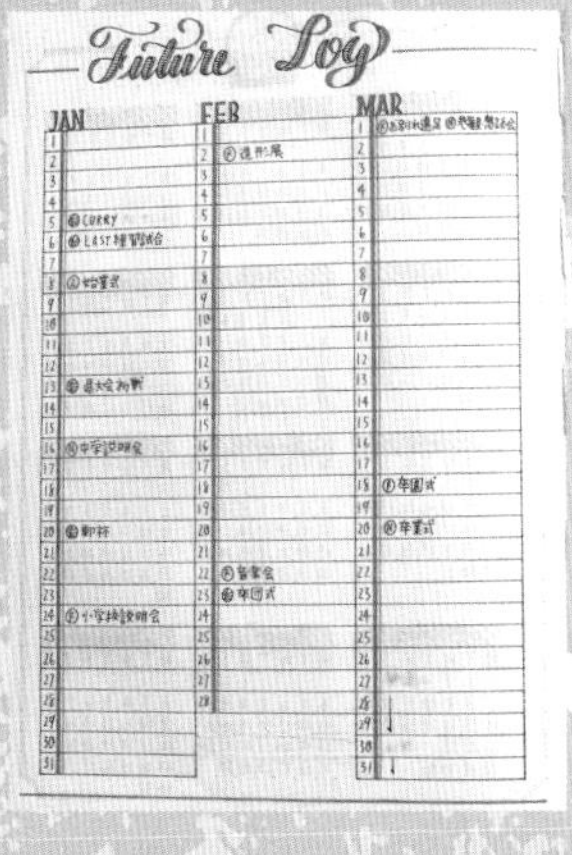

半年~1年分のおおまかな予定。家族や友人の誕生日、達成したい目標など詳細の決まっていない予定を書き込んでおき、具体的なスケジュールが決まったら月間・週間ページに記入します。

04 マンスリーログをつくる

1ヶ月分の予定を書き込むページ。その月の予定やできごとを書くカレンダーページのほかに、目標やタスクを書くスペースを設けてもOK。

05 ウィークリー・デイリーログをつくる

1週間、1日の予定を管理するページ。その週のタスクを箇条書きで記入し、完了できなかったタスクがあれば次の週のログに書き写します。持ち越す必要がないときは、消しゴムではなく二重線などで消し、キャンセルした内容がわかるようにしておきましょう。

KEYを決めよう!

デイリーログに書き込むタスクの頭には、「KEY」と呼ばれる記号を付けます。そうすると効率的にメモができ、見返しやすくなります。後から新しいKEYを追加したり、KEYのついていない項目があったりしてもかまいません。

(例)

- ・:未完のタスク
- ◯:イベント
- ×:完了したタスク
- >:別の日に移動させるタスク
- !:アイデア

使いやすく、自分らしくアレンジしていこう!

むくりさん　Instagram：@__mukuri__

夫と2人暮らし。心を満たし、暮らしを整える手帳術を実践。バレットジャーナルや家計簿のフォーマットの販売も行っている。

おすすめアイテム

マイルドライナー

（ZEBRA）

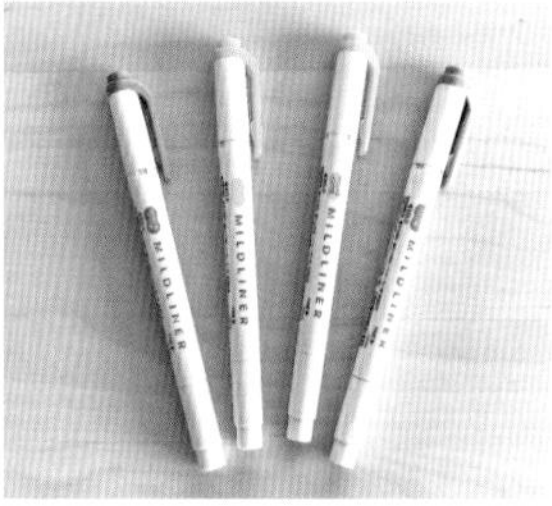

落ち着いた色合いがお気に入り。「読み返したくなる手帳」が理想なので、大事なところや気になるところにはマーカーを引いてカラフルなページになるよう意識しています。

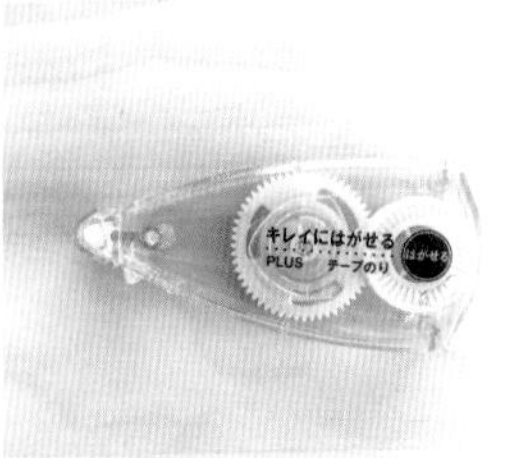

きれいに剥がせるテープのり

（セリア）

手帳のデイリーページをコラージュするときに、失敗してもきれいにはがせるので助かります。

バレットジャーナルのポイント

1. マーカーを引いたりコラージュしたりして、読み返したくなるページにする
2. TODOだけでなく「できたことリスト」も一緒に書く
3. オリジナルの記号で満足度＆自己肯定感アップ

書き出して気持ちをすっきり自分の頑張りが見えるノート

4年ほど前に海外の方のバレットジャーナルを見たのがきっかけで、自分でも書き始めました。その後、引っ越しや結婚で忙しくなかなか書けない時期が続いたのですが、久しぶりに手帳を書いてみると、気分がすっきりして前向きな気持ちになれたんです。それからバレットジャーナルを再開！ライフスタイルの変化に合わせてフォーマットを変え、忙しくても続けられるバレットジャーナルになりました。必要なページをカスタマイズして自分だけの1冊ができるところがバレットジャーナルの魅力だと思います。

毎日手帳を書くことで短時間でも心の切り替えができ、暮らしを楽しむ余裕も出てきて、以前よりも充実した時間を過ごせるようになりました。また、やるべきことだけでなくできたことも見える化することで、自分の頑張りを認めることができます。自信も持てるようになったので、資格取得やYouTube等、どんどんやりたいことを叶えています。

バレットジャーナル

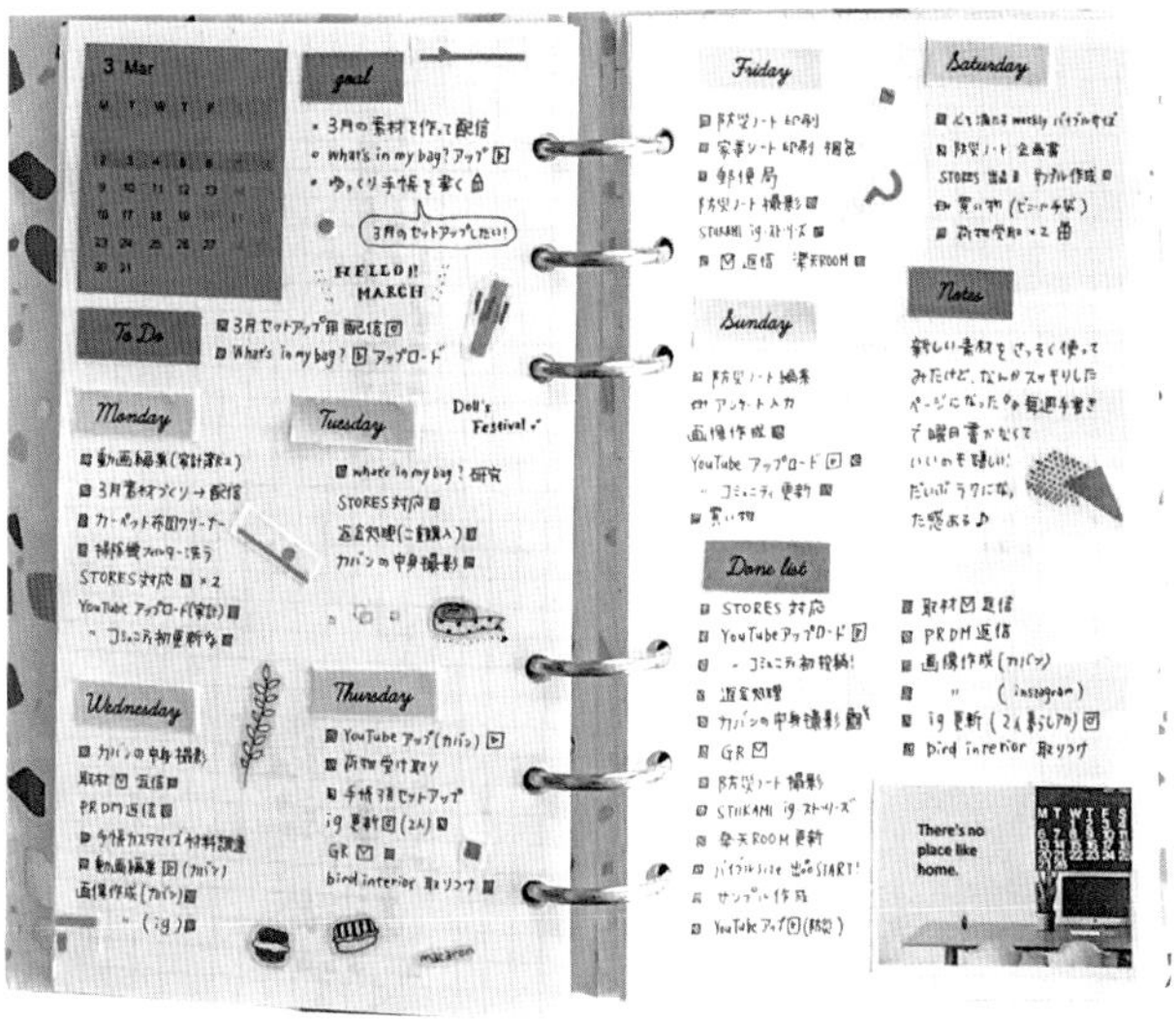

クリップブック

バイブルサイズ

（ファイロファックス）

日々のタスクはこれで管理。心を整えながらやりたいことを叶えていけるようなフォーマットになるよう心掛けています。

忙しくても続けられるよう、5分～10分で書けるフォーマットを自作しました。フォーマットは無料配信しています。

TODOだけでなく、Doneリスト＝できたことリストも一緒に書くことで、達成感を感じられます。

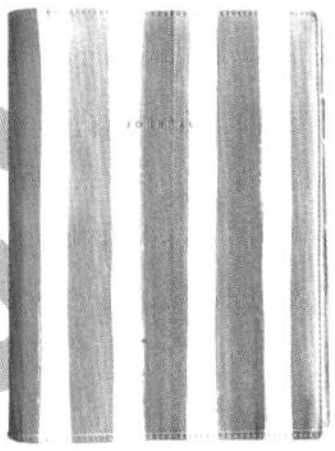

システム手帳 A5

（マークス）

手書きでフォーマットを書いていた時期もありましたが、忙しくて続かず……。今はパソコンで数か月分のフォーマットをまとめて作成しています。

心を満たすウィークリー

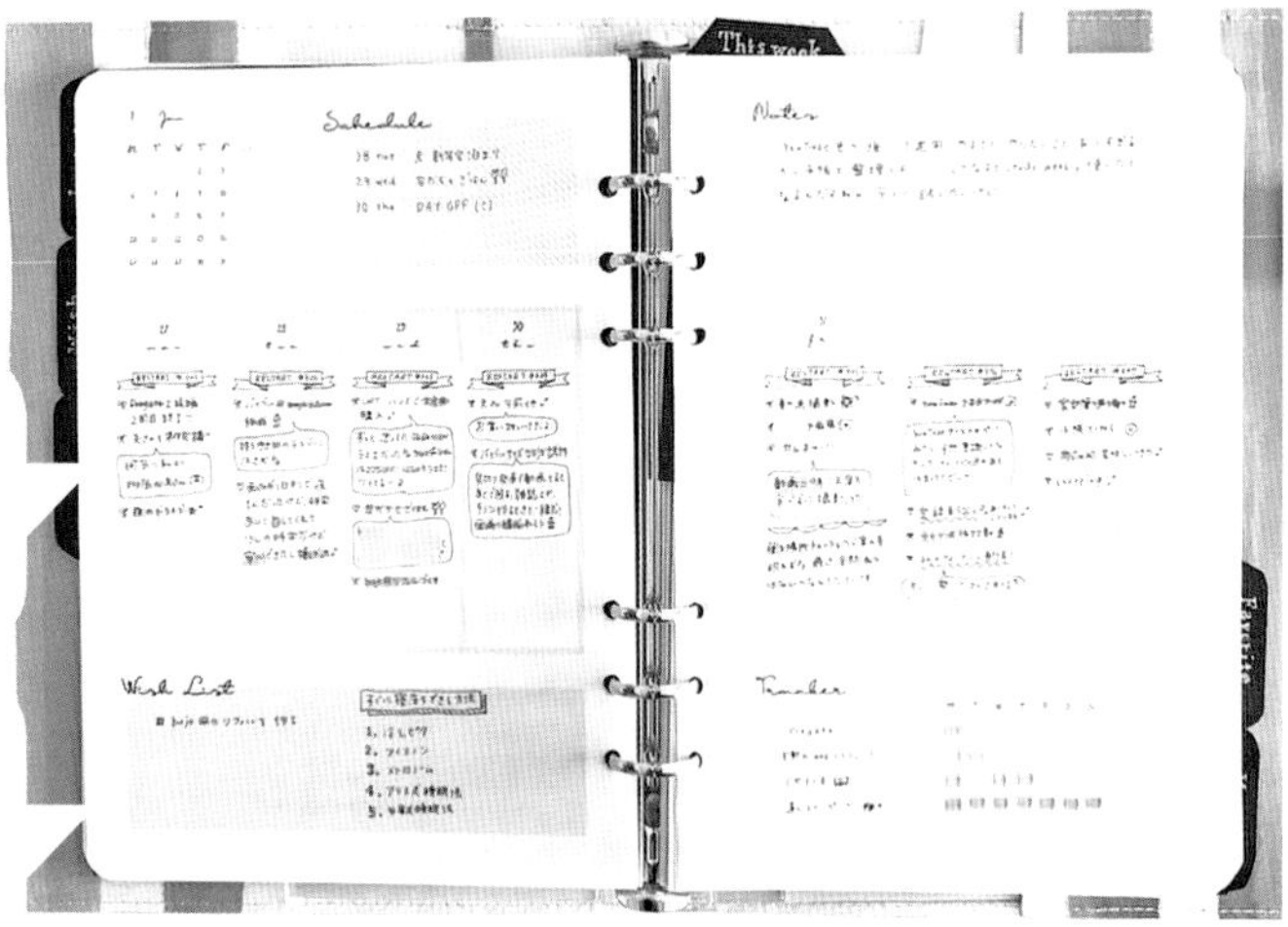

リボンのマークは「自分のためにできたこと」で、これが積み重なると自己肯定感が高まります。また、ハートマークは「うれしかったこと」。読み返したときに幸せな気持ちになれます。

ウィークリーのフォーマットには感想・まとめのスペースを設け、振り返る習慣をつけるようにしています。ウィークリーを読み返すと、新しい発見があったり、来週やりたいことが見えてきたりするんです。

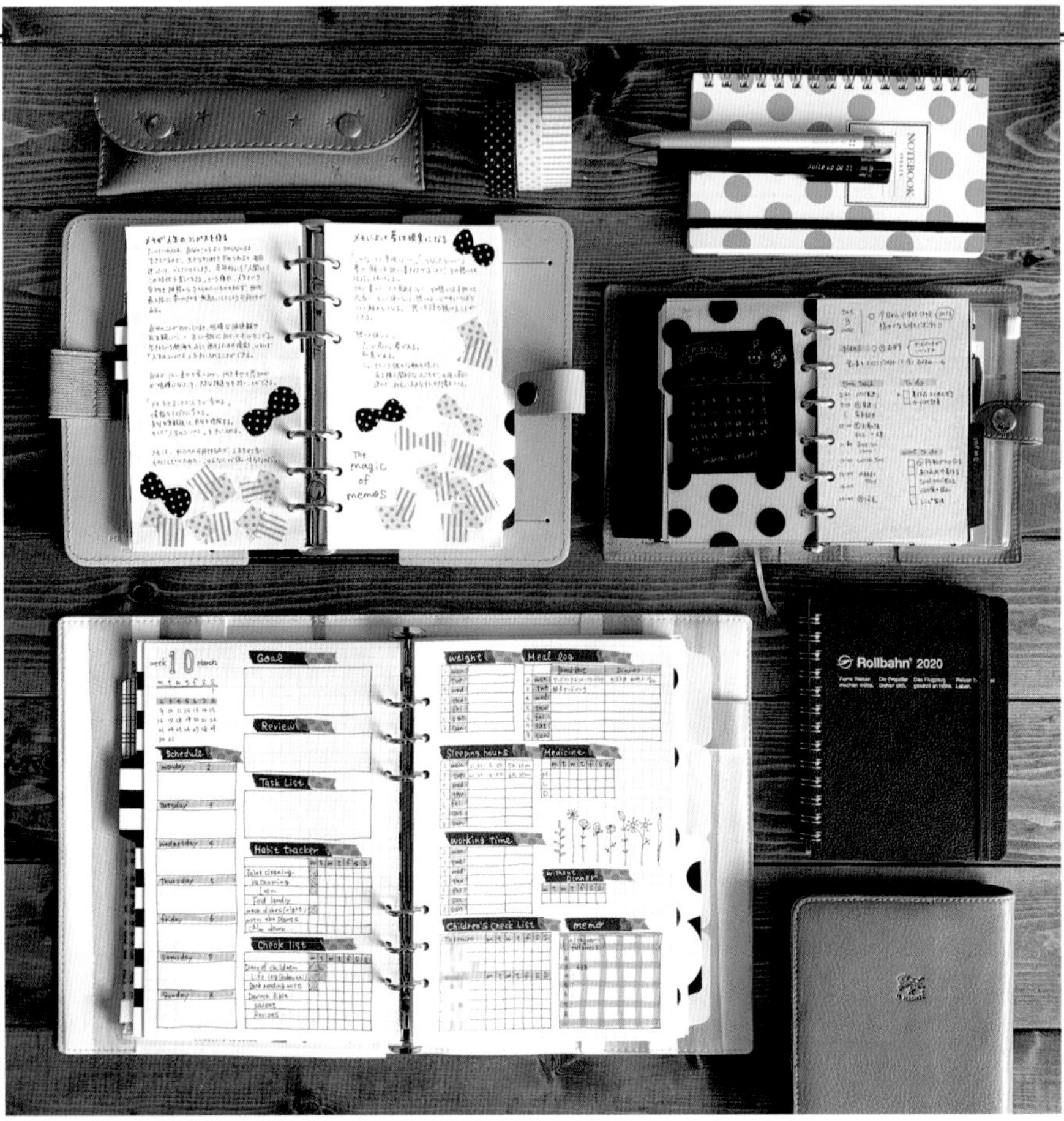

roco さん　Instagram：@notizbuch_roco

夫、長男、長女の4人家族。10冊の手帳・ノートを用途に合わせて使い分ける。革小物の制作・販売も行っており、ペンケースや手帳カバーも自作している。

おすすめアイテム

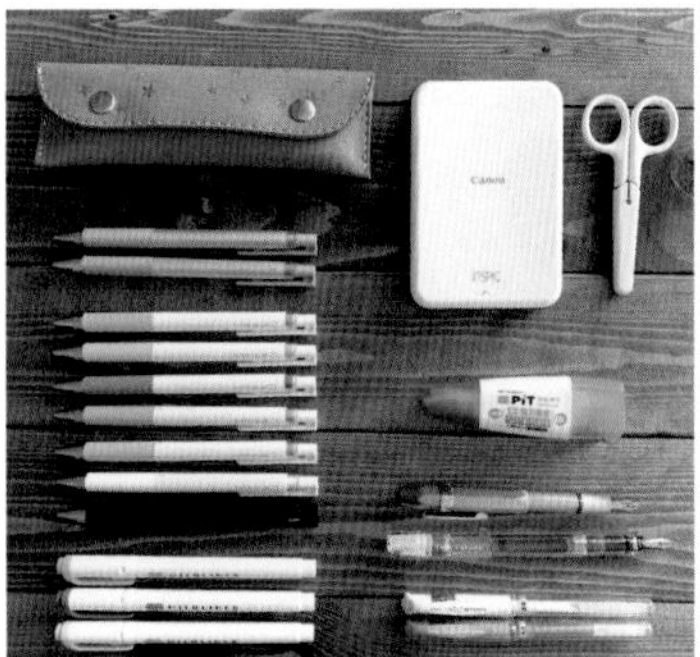

スリムペンケース（左上）は自作。文字を書くときは主にJuice up（PILOT、左中央）を使用し、滑らかな書き味がとても気に入っています。コラージュはピットマルチ2（トンボ、右上）を使用。波打つこともなくしっかり貼れます。携帯用ハサミ（無印良品）はマステを切ったり細かいものを切るときに便利。kakunoの万年筆（PILOT、右下から3番目）はペン先が細いので、小さな文字も潰れずにストレスなく書けるのがうれしい。

バレットジャーナルのポイント

1 毎朝、その日の目標やタスクを書き出して1日の流れを確認

2 常に持ち歩くノートになんでも記入。日記やリスト等に反映させる

3 ネガティブな感情はプラスに変換して記入

弱音も前向きに変換して混乱した頭をすっきり整頓

　毎日やらなければいけないことがたくさんあって混乱していたとき、Instagramで知ったバレットジャーナルをやってみようと思ったのが始めたきっかけ。それからいくつか本を読み、いろいろな方法を試して今の形になりました。ノートを書くのは、リビングの一角に置いてある革小物製作用の作業台兼テーブル。タスクを書き出したり、チェックを付けたりすることで、頭の中を整理したうえで行動できるので、生活にメリハリが出て時間をうまく使えるようになりました。ノートは私にとって、大切なものをたくさん詰め込んだ宝箱のような存在です。

　ネガティブな感情をそのまま文字にすると、さらに重くのしかかってくるような気がするので、愚痴や泣き言を書くことはほとんどありません。「もっとこうしよう」「こんなことがあったけど、おかげで大事なことに気づけた。ありがたい！」と、あとで読み返したときに嫌な気持ちにならないような表現を心がけています。

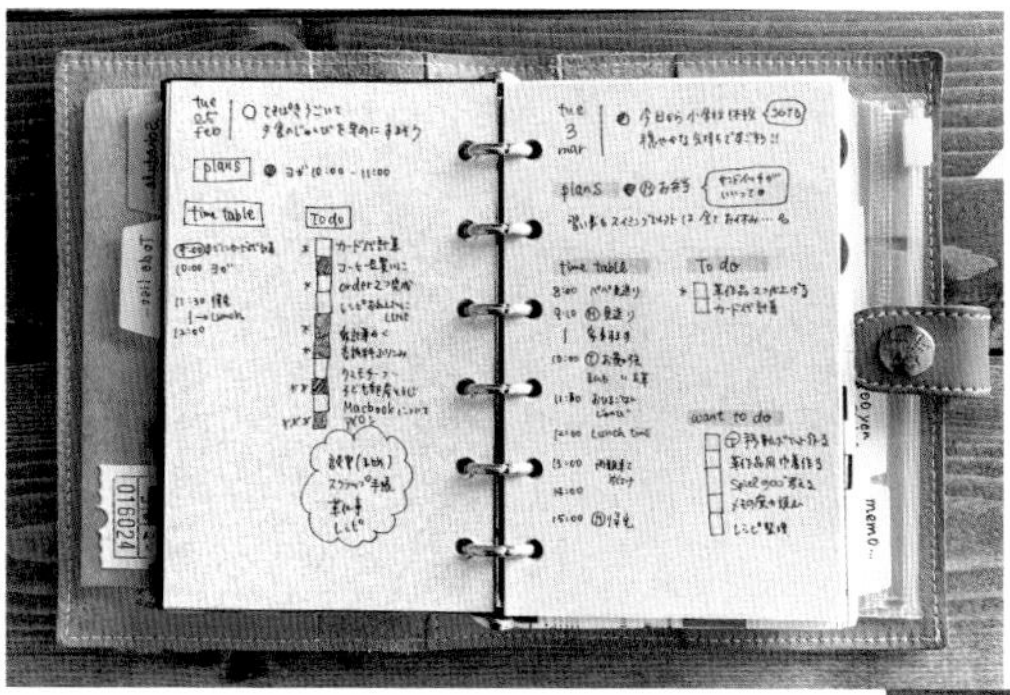

毎日のページは、その日の朝に書き込みます。1日の流れを予め決めておけば、次に何をすれば良いか見るだけなので、スッキリとした気持ちでサクサク行動できます。カラフルなペンはほとんど使わず、黒、グレー、茶などのアースカラーが多いです。

イルビゾンテ
システム手帳（小）

通称ミニ6。1日1ページ使って、その日のTO DOリスト、行動する上で気をつけたいこと、1日のタイムテーブルなどを記入するのに使っています。

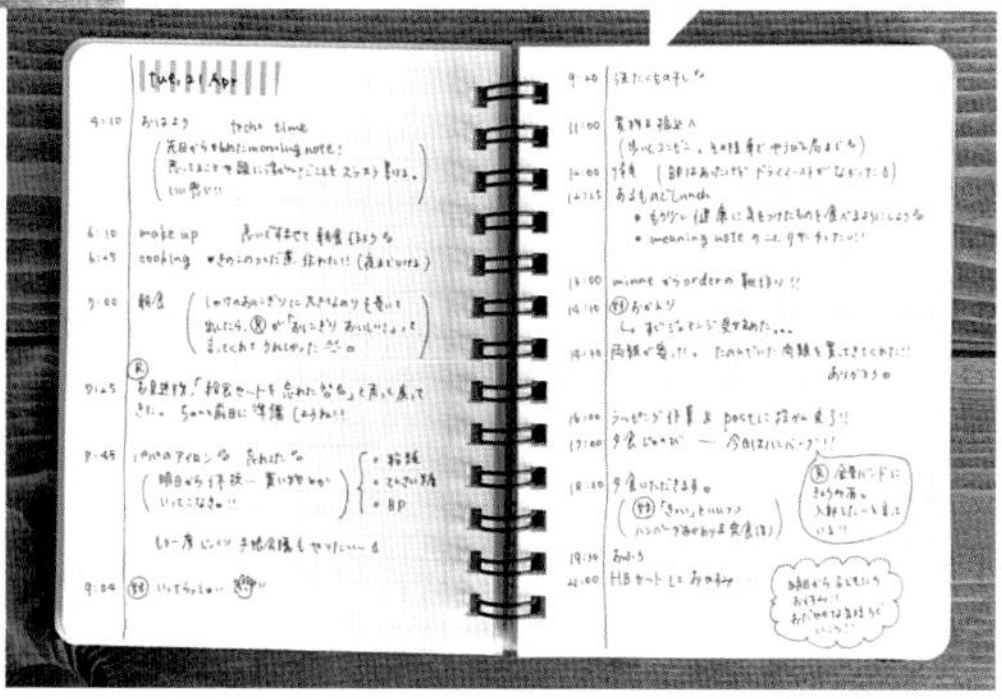

メモ用のノートを常に持ち歩き、その日の行動の記録やその時の気持ち、思いついたことなどをなんでも書き込んでいます。それを元にして、日記や感謝リストなどに落とし込み、記録しています。

本を読んで、いつも読み返したい大切なことをスクラップやコラージュで書き留めています。行きたい場所、やりたいことなどをリサーチして書き、切り抜きや写真も貼り付けて楽しむページもあります。

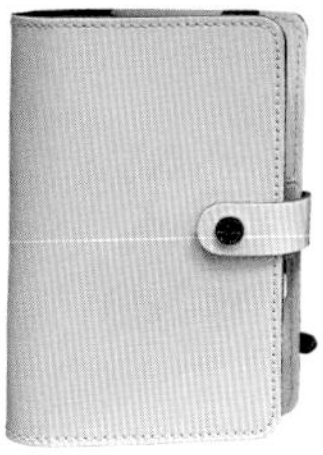

ファイロファックス
システム手帳オリジナル
（バイブルサイズ）

ハビットトラッカーやチェックリスト、読んだ本のポイント、革小物のアイデアなどを書いています。

ノートを書くのも写真を撮るのも、この革小物制作用の作業台。写真を撮るときは、置いてあるもの同士が引き立つように配置し、余白のバランスを取りながら並べています。文具は色が喧嘩しないようにセレクト。色味がキレイに出るように写真を加工することもあります。

mitan さん　Instagram：@bulletjournal _mitan

会社員。2017年末にバレットジャーナルを始めて以来、イラストやコラージュを活用したノートが人気を集める。

おすすめアイテム

ちいさく持てる KITTAシール

(キングジム)

デザイン性が高くかわいいものが多いので、よく使っています。写真を貼るための角のシール、動物やお花などのシールなどさまざまな種類があり、つい集めたくなってしまいます。

ジェットストリーム

(uni)

仕事でも愛用しているペンをバレットジャーナルでも使用しています。書きやすさが抜群で、一度使うと離れられません。

バレットジャーナルのポイント

1. 気分が上がる
おしゃれなデザインに

2. 寝る前に振り返り、
できたことを1つ以上書く

3. なるべく前向きな
言葉を使う

“できたこと”を振り返り自分をもっと好きになる

毎日を何気なく過ごしているとやりたいことができないまま時が過ぎていくので、そんな自分を変えたいと思い、バレットジャーナルを始めました。もともと書くことが好きだったので、ノートを使ってタスクをまとめるバレットジャーナルは自分に合っているなと思います。目標をもって毎日を過ごすことで、充実した日々を送れるようになりました。目標をどのくらいクリアできたか、自分に何ができたかを日々振り返ると、自分自身を認めることにつながり、自分を好きになれた気がします。また、旅行先にノートを持って行くこともあるのですが、場所が違うと自分の感じ方にも変化があります。ノートの内容にもそのときの感情が表れるので、読み返したときにリアルに振り返ることができるのもおもしろいところですね。

　バレットジャーナルの魅力は、枠にとらわれず自分仕様に変えられるところ。自分にとって使いやすいデザインをこれからも探していきたいです。

毎日10個タスクを書き、寝る前に振り返りのための時間をつくっています。振り返るときは前向きな言葉を意識的に書くように心がけています。

月の目標を書くページ。3月8日はミモザの日ということで、ミモザをイメージして書きました。前の月に達成できなかった目標を翌月に繰り越すこともあります。

マーキングペン
イラストなどに使っているペンは100円ショップで購入。5本入りでデザインもかわいいので気に入っています。

デザインはごちゃごちゃしないよう、統一性をもたせることを意識しています。イラストは季節などにあわせてイメージを決めてネット検索し、おしゃれなイラストなどを参考にしながら描いています。

夢を書き出すことで自分自身が意識するようになり、自然に叶うと本で読んだので、年明けにウィッシュリストを書くようにしました。達成感を味わえるよう、叶ったものは四角を塗りつぶします。

ミモザのスワッグと。「今週は赤」などテーマを決めてカラーリングすることも。
家事は1週間の一覧表（写真中央の赤い囲み内）にしてビンゴ感覚でやる気アップ!

きょんさん　Instagram：@kyon.aka

中学校の美術教師。夫、3歳の息子、2020年10月で1歳になる娘の4人家族。育休中に子どもとの日常を楽しみつつ、家事・子育て記録としてイラストを交えたノートを自作。

おすすめアイテム

ゼブラ水性マーカー「マイルドライナー」の落ち着いた色をアクセントに。三菱鉛筆のボールペン「スタイルフィット」0.28（下）はスラスラ書きやすく、にじまないゲルインクがお気に入り。

バレットジャーナルのポイント

1. 1週間を見開きで書く＋月間スケジュールも追加して、見通しを持ちやすくする
2. 家事ややりたいことなど種類別のリスト化で明確に!もれなく実現する
3. 家族優先で、ノート用1人時間は1日20分。書けなくても気にしない

育児と自分時間の両立に配置も書くペースも自由自在

出産を機に、育児と自分のやりたいことを両立しやすくなればと手描きのモノクロイラストで毎日を記し始めました。バレットジャーナルでやるべきことが明確になり、やり残すことが減りましたね。ノートを書くことが思考整理になり、1週間の見通しを持って生活できるのが魅力です。

当初は1日ごとに記録していましたが、次第に1週間を見開き1ページでまとめるように。フォーマットは週によって縦と横を使い分け、季節のお花と一緒に撮ったり、絵を描く代わりに写真を貼ったり。いろいろ楽しんでいます。

家族の時間を大切にしたいので、子どもたちや夫が起きているときには絶対に書きません。水曜、木曜に書けなくなっても土日でカバーするなど、書かない日や週があっても気にせず、家事や育児が落ち着いた瞬間を見計らい、自分の部屋で20分ほどかけて書きます。

夜泣きによる寝不足にめげず、ノートも育児も試行錯誤を楽しみながら、今後も書き続けたいです。

下の子が生後100日目を迎え、やりたいことをする余裕が出てきたのを機にバレットジャーナルを再開。1カ月の予定一覧はそれぞれの用事を横並びにして、その日の予定を把握しやすく工夫。

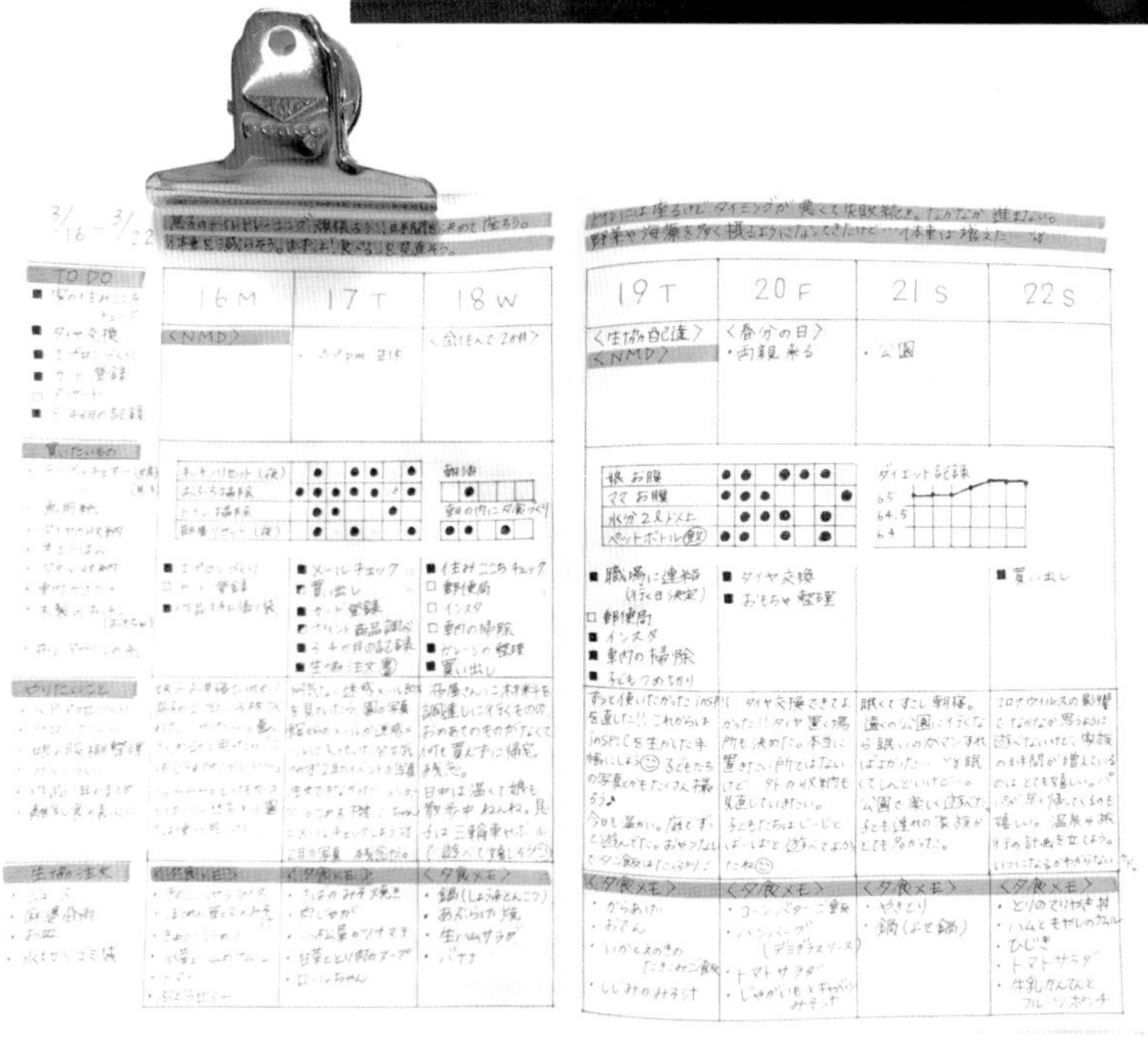

上部の空きスペースは、左に週の目標、右に嬉しかったことなど振り返りのひと言を記入。

色は使いすぎず、シンプルにまとめる。手帳専用紙で書きやすさに定評のあるMDノートのドット方眼を愛用。

Chapter 03

好きな文房具に囲まれていると、書くことがもっと楽しくなります。
ノートはもちろん、最新のペンやインクもチェックしておきたいところ。
文房具のプロたちがオススメするアイテムや
ノートにまつわるお話をたっぷりご紹介します！

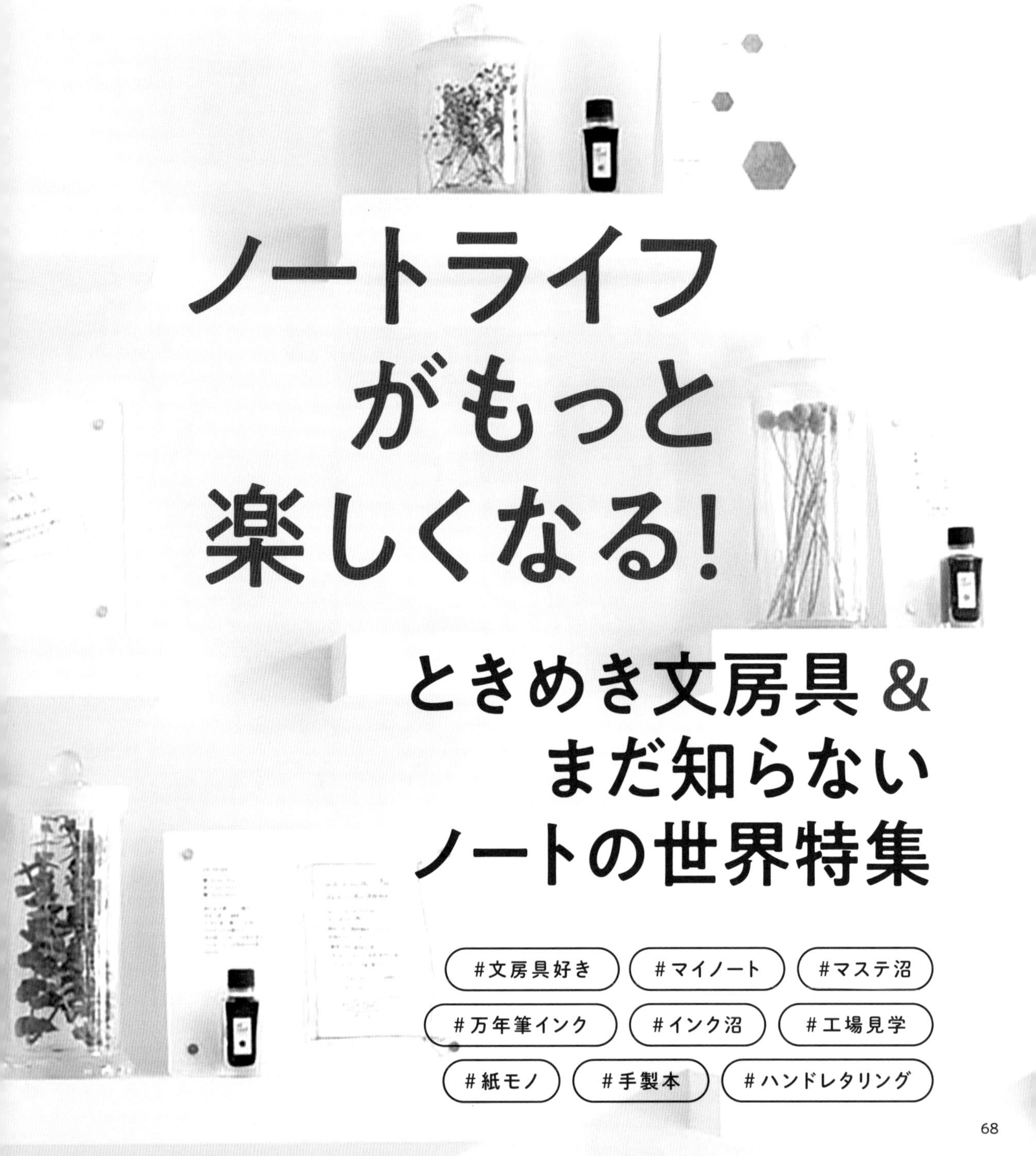

ノートライフがもっと楽しくなる！

ときめき文房具＆まだ知らないノートの世界特集

#文房具好き #マイノート #マステ沼
#万年筆インク #インク沼 #工場見学
#紙モノ #手製本 #ハンドレタリング

ノート大集合！

さまざまな文具メーカーから、新商品やコラボ商品などのおすすめノートをご紹介。あなたに合った素敵なノートに出会えますように。

サクッと見返しやすい機能性抜群リングノート

SUNNY

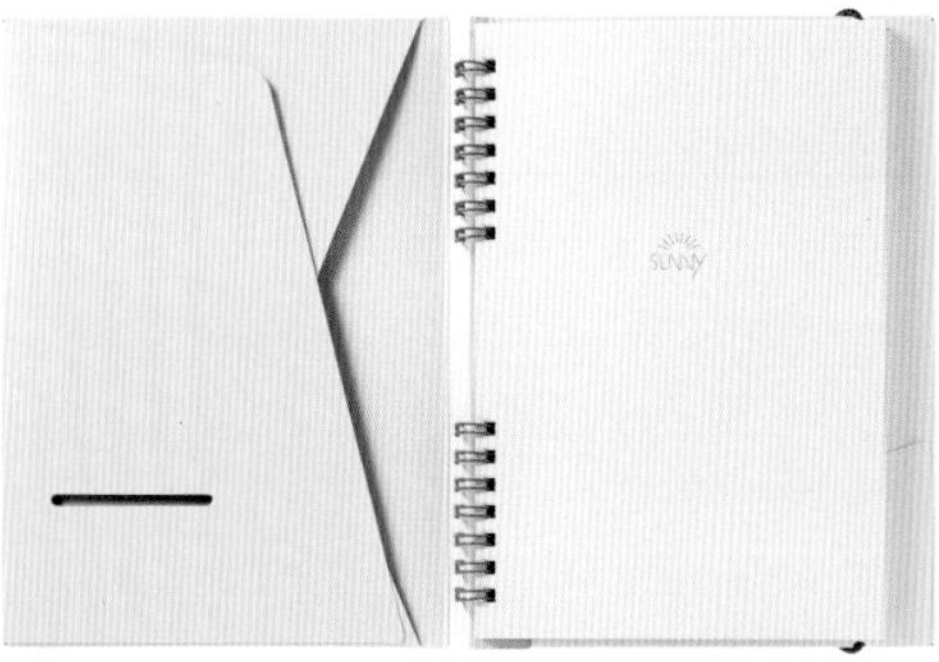

リングノートではめずらしく、ページ番号付き。インデックページとインデックスシールが付いているため、どこに何を書いたのか整理しやすい。表紙前後のカバー部分にリフィルを差し込んでノートを拡張するのもアリ。

URL https://iroha-shop.jp/c/knick_knacks/lsn

SUNNY NOTE

1,600円＋税（いろは出版）
A5変形（160㎜×217㎜）

YELLOW　WHITE　ASH BROWN　TURQUOISE　PINK

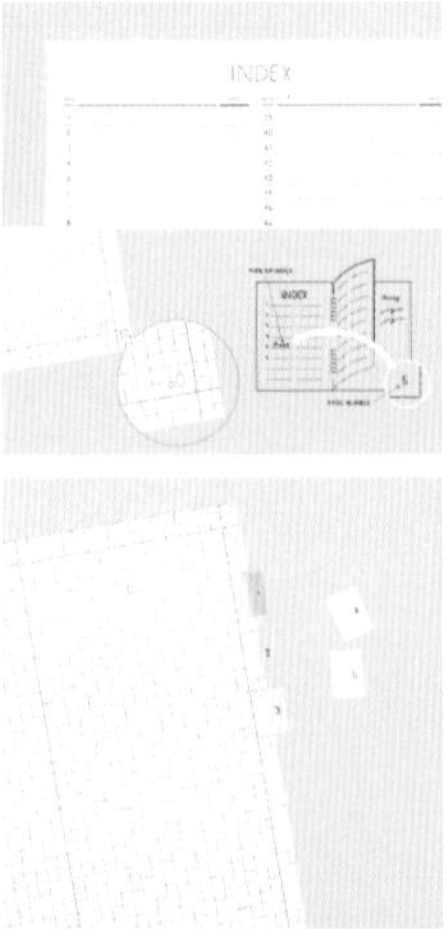

ツバメ

URL
http://www.tsubamenote.co.jp/

レトロなデザイン&キャラクターコラボがかわいい

1947年から現在まで変わらない重厚感のある表紙デザインが特徴。「ツバメ中性紙フールス」と呼ばれるこだわりの紙を使用しており、裏写りの心配がなく、書き心地は抜群。

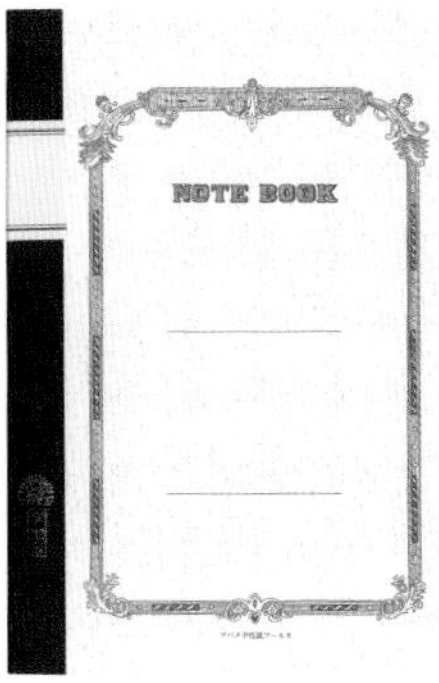

ツバメノート
B5判大学ノート
190円+税(ツバメノート)
セミB5判(179㎜×252㎜)

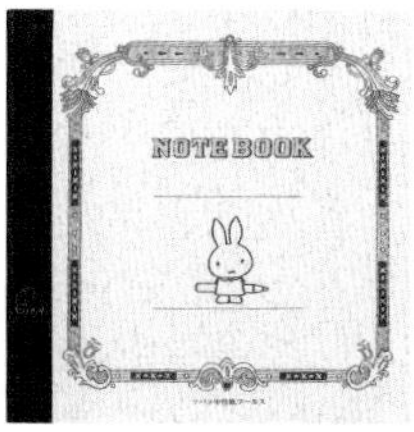

ツバメノート
正方形ミッフィーコラボ
300円+税(ツバメノート)
正方形(158㎜×158㎜)

"インク沼"にはまっているあなたにおすすめ! フールス紙に書いて色をコレクションできます

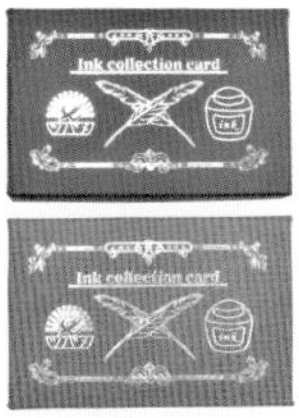

インク
コレクションカード
750円+税(ツバメノート)
91㎜×55㎜

PENCO

URL
hightide.co.jp

傷つきにくいタフでPOPなメモ帳

表紙はプラスチック(PP)を使用しており、しなやかかつ傷や汚れが付きにくいタフさが魅力。中身は大容量の方眼紙なので、普段使いのノートとしておすすめ。3サイズを展開。

PENCO ソフトPPノート A7
320円+税(ハイタイド)
74㎜ × 105㎜

PH

URL
hightide.co.jp

ステーショナリーメーカーのハイタイドと、紙と紙のプロダクトを扱う雑貨屋パピエラボによるステーショナリーブランド「PH(ペーハー)」のノート。製本で背の補強に使われる寒冷紗を表紙に使用しているため強度があり、ザラっとした網目状の肌触りが特徴的。

プロダクトとクラフトの間をゆく温かみのある素材感

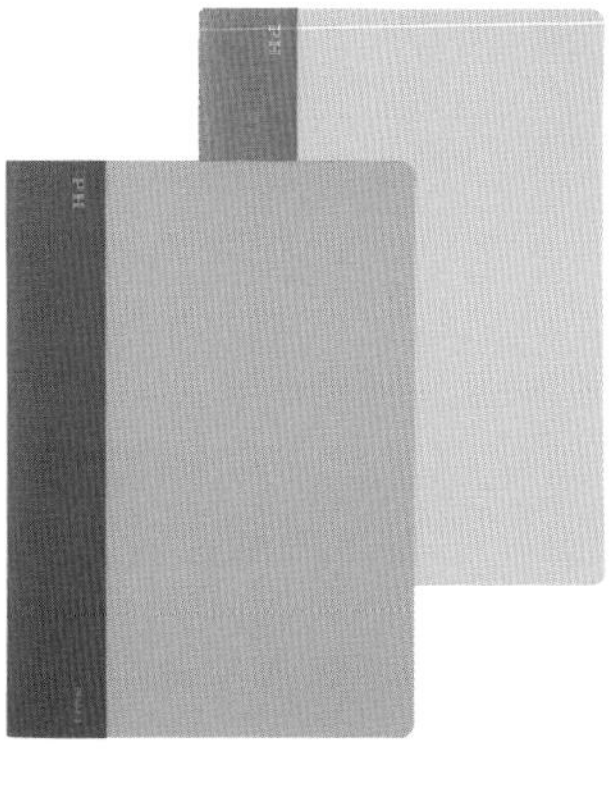

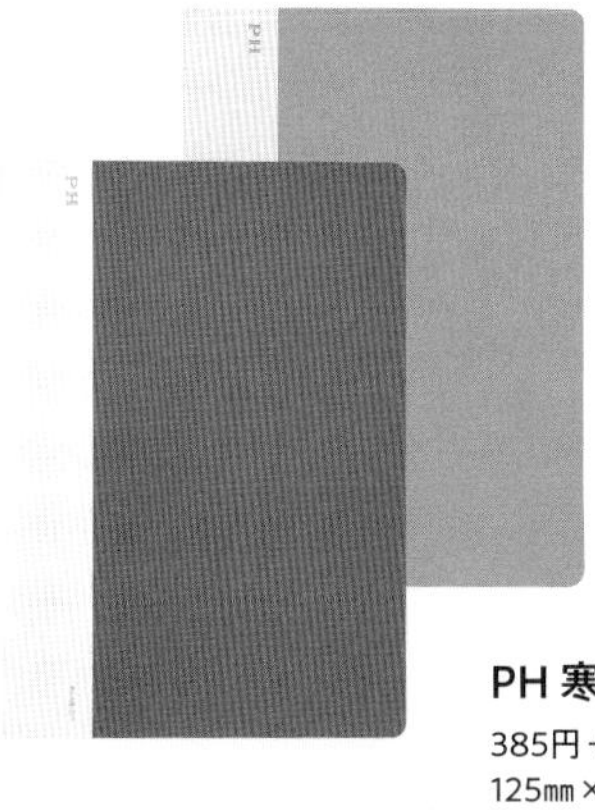

PH 寒冷紗ノート B6
385円+税(ハイタイド)
125㎜×180㎜

洋書風の装丁と独特の質感が気分を上げる

パギーズ

URL
hightide.co.jp

洋書でよく使われているペーパーバックをサイズ感そのままでノートに。中紙は再生紙でざらざらとした質感。表紙はボール紙のため、使い込んでいくうちに風合いが変化していくが、それもまた愛着になる。

パギーズ
ペーパーバック　ノート

600円＋税（ハイタイド）
120㎜×188㎜

NOLTY

URL
https://jmam.jp/techo/

NOLTY手帳でも使われているオリジナルの手帳専用紙を使用しており、薄くて軽いのに書き心地は抜群。アシンメトリータイプのほか方眼や横罫などレイアウトは全部で4タイプ。サイズは2種。

手帳づくりのノウハウがギュッと詰まったノート

\Write and Think/

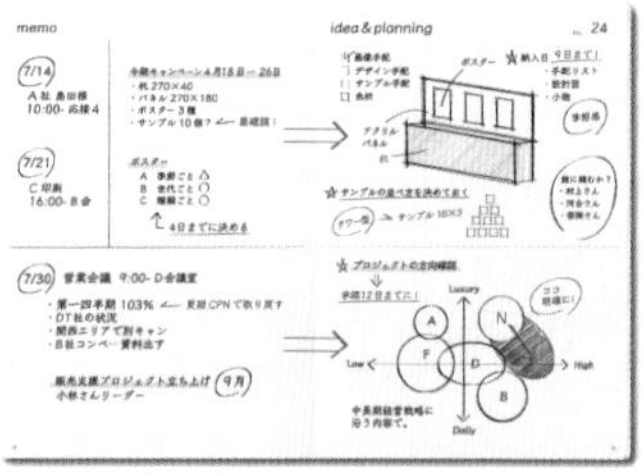

NOLTY notebook
アシンメトリー

800円＋税（JMAM）
A5

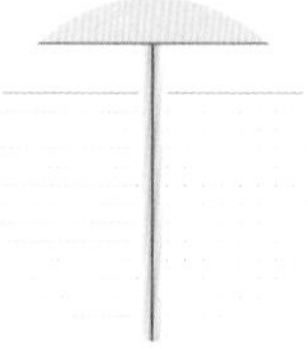

クロッキーブック
ポケットサイズ

320円＋税（マルマン）

定番のクロッキー帳は絵を描く人だけでなく、アイデアを練るビジネスパーソンにもおすすめ。無地の紙に自由に書き出してみて。

イントゥーワン　ミニサイズ

550円＋税（マルマン）　97㎜×152㎜ 5穴

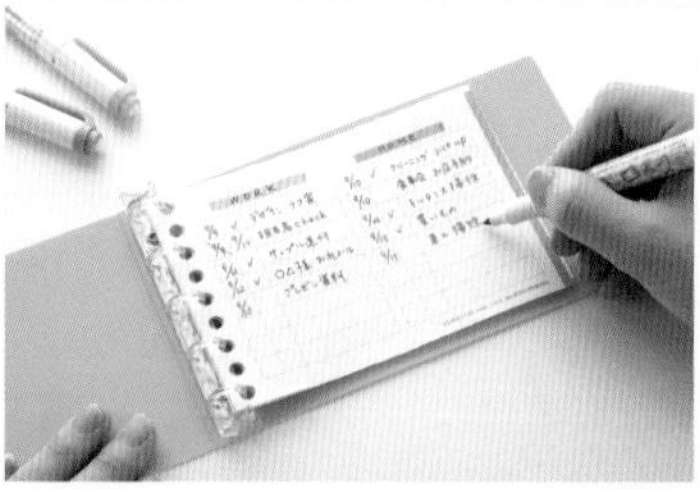

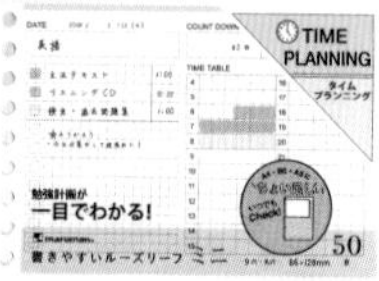

書きやすいルーズリーフ
ミニ　タイムプランニング

160円＋税（マルマン）

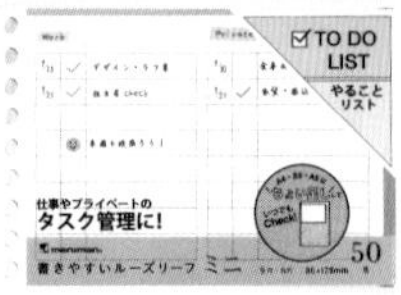

書きやすいルーズリーフ
ミニ　TODOリスト

160円＋税（マルマン）
86㎜×129㎜ 9穴

マルマン

URL
http://www.e-maruman.co.jp/

スタディープランナーやタスク管理に大活躍!

スケッチブックで有名なマルマンから、タスク管理・整理に役立つルーズリーフが登場。ページ移動やリストの追加などのアレンジが可能なため、勉強や仕事のシーンで活躍してくれる。

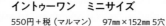

EDiT

URL
https://www.online-marks.com/

書き込みやすい柔らかなブルーの罫線が特徴

横罫と方眼の2種類があり、書きたいものや用途に合わせて選ぶことができる。イタリア製のPUを使用したカバーは、上質な質感とルックスが魅力。ビジネスシーンでさりげない品のよさを演出してくれる。

EDiT
方眼ノート・横罫ノート
2,200円＋税（マークス）
A5（本体サイズ214㎜×150㎜）

EDiT
アイデア用ノート・付箋セット付
1,300円＋税（マークス）
A5変形（149㎜×215㎜）

クリエイティブな思考を育てるノート

ヨコ型ノート＋付せんにより、クリエイティブな発想を促す設計がされたノート。付属の付せんはピンクとイエローの2色。ブルーの7㎜ドット方眼がガイドラインとなり、文字や図表が書きやすい。

FLEX NOTE

URL
https://www.online-marks.com/

ページ組み替えが簡単自分好みの構成に

指で押しはめる・手で引き抜くという簡単な操作でページの着脱ができるディスクバインド方式のノート。リフィルにはリストカード、方眼、横罫線、無地があり、自分に合ったページの組み合わせが可能。

FLEXNOTE
リサイクルレザーカバーセット・D4・B6変型
2,000円＋税（K-DESIGN WORKS）
163㎜×123㎜

ノートリフィル　横罫
580円＋税（K-DESIGN WORKS）

ノートリフィル
リストカード
680円＋税（K-DESIGN WORKS）

書くことに こだわった 無垢なノート

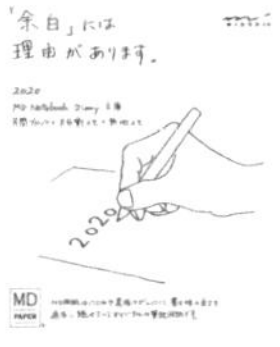

MD ノート

URL
https://www.midori-japan.co.jp/md/

本のサイズと同じように、文庫、新書、A5（ハードカバー）、A4変形（マガジンサイズ）の4サイズを展開。書き終わったときに自分だけの1冊の本ができあがる。

MD ノート（新書）　方眼罫

700円＋税
（デザインフィル　ミドリカンパニー）
175㎜×105㎜

月間スケジュール・1週間スケジュール（8分割の横罫メモ）・無罫メモの3種で構成されたダイアリーノート。万年筆でも裏抜けしにくく、書き心地抜群のMD用紙を使用している。素材の良さを活かし、無駄なものをそぎ落としたシンプルで上品なデザイン。

MDノート ダイアリー 2020（文庫）

900円＋税
（デザインフィル　ミドリカンパニー）
148㎜×105㎜

※2020年版のMDノートダイアリーは、間もなく販売終了となります。2021年版は夏ごろの発売予定です。

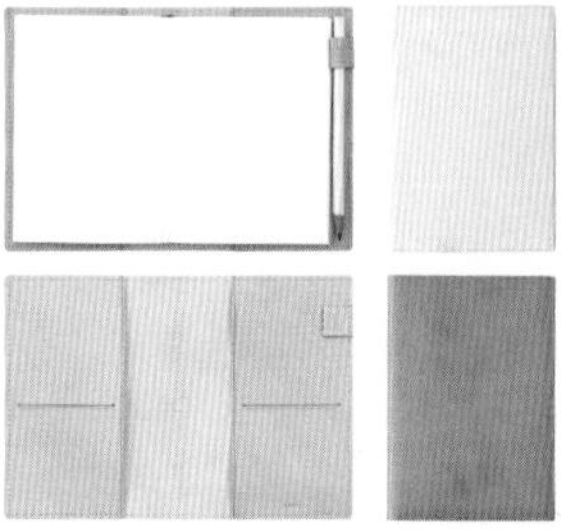

表紙のないMDノートに合わせて作られたヌメ革カバーは、使い込んでいくことで味が出てくる。革のほかにも質感を楽しめる紙製カバーや、シンプルに保護してくれるPVC製の透明カバーがある。

MDノートカバー（文庫） 本革ゴートヌメ

5,000円＋税
（デザインフィル　ミドリカンパニー）

トラベラーズノート

URL
https://www.travelers-company.com/

MYノートのワンポイントに 自転車ロゴ入りチャーム

東京を走るために作られた自転車のお店「tokyo bike」とトラベラーズカンパニーのコラボ商品。中心に自転車のマークとロゴが入っており、自転車好きにはたまらない。真鍮でできているので、使うほどに深い色に変化していく。

TF ブラスタグ tokyobike

480円＋税
（デザインフィル
トラベラーズカンパニー）

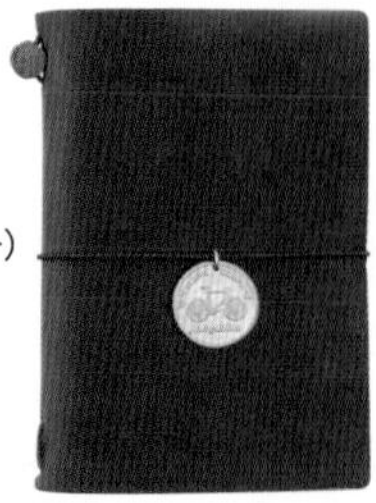

スターターセットで ノートライフを始めよう

コットンケース・カバー・スペアゴムバンド・ノートリフィル（無罫）がセットされたトラベラーズノートスターターキット。シンプルなので、リフィルやカスタマイズパーツを使って自由にカスタマイズできる。旅にはもちろん、日々の生活でいつも持ち歩きたいノート。

トラベラーズノート スターターキット　リフィル付き（レギュラーサイズ）

4,000円＋税
（デザインフィル　トラベラーズカンパニー）
220㎜×120㎜

トラベラーズノート スターターキット　リフィル付き（パスポートサイズ）

3,200円＋税
（デザインフィル　トラベラーズカンパニー）
134㎜×98㎜

ロディア

URL
https://www.bloc-rhodia.jp/

余白がたっぷり マイペースに スケジューリング

左ページに1週間のスケジュール、右ページにアイデアやTODOリストを書くことができるフォーマット付き。フォーマットには日付が入っていないため、いつからでも書き始められる。ビビットなカラーから落ち着いたカラーまでバリエーションが豊富。

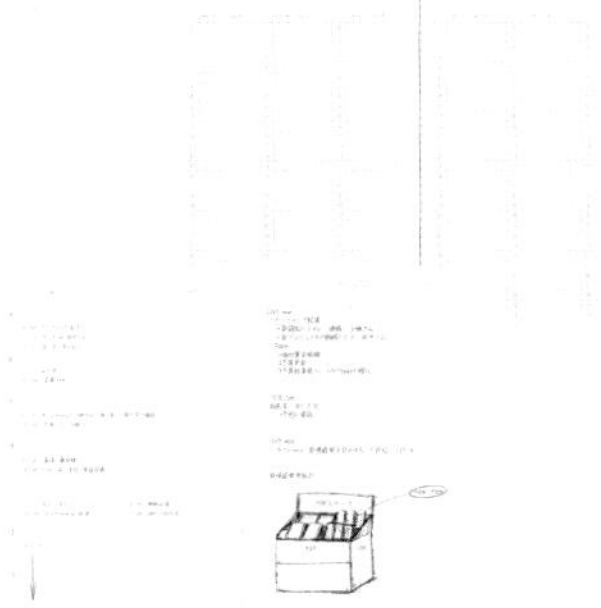

ロディアラマ パーペチュアル ノートブック

2,500円＋税（クオバディス・ジャパン）
A5（本体サイズ148㎜×210㎜）

ポケット機能をプラス 持ち歩きたくなる メモ帳カバー

定番のブロックロディアの専用合皮カバー。左右どちらかのポケットに台紙を差し入れるだけでしっかりと固定される。また、裏側にもポケットが付いており、名刺等を入れることもできる優れもの。

ロディア11 マドラスカバー

2,000円＋税
（クオバディス・ジャパン）
86㎜×117㎜

ロルバーン

URL
https://shop.delfonics.com/

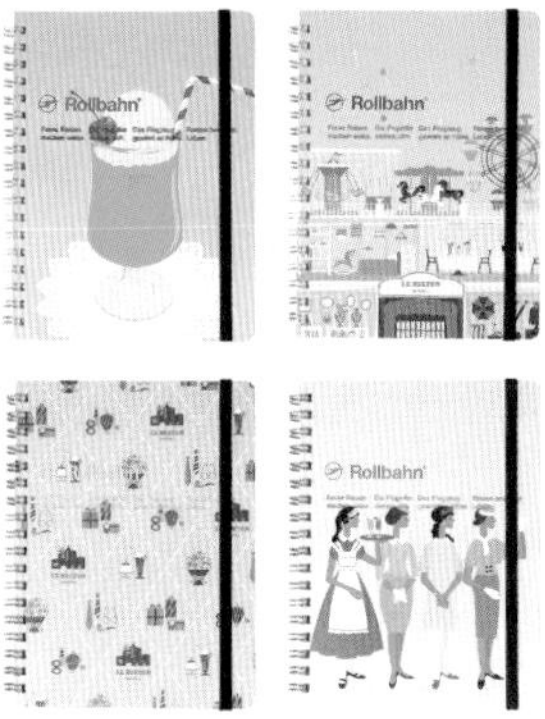

デザインと展開豊富な 定番ノート

ロルバーンのル ブルトンシリーズは、「幼い頃の思い出のデパート」をテーマにしたデザイン。どこか懐かしいイラストがかわいらしい。ノート以外のグッズも要チェック。

ル ブルトン ロルバーン ポケット付メモL

730円＋税（デルフォニックス）
143㎜×182㎜

定番の方眼に加えて、4分割、罫線、ミーティング、TO DOとラインナップ豊富なリフィル。ノート1冊にさまざまな内容・用途を集約できるので、ノートライフがさらに充実するはず。

ロルバーン フレキシブル リフィル（ミーティングL）（罫線L）

580円＋税（デルフォニックス）
132㎜×178㎜

ロルバーン フレキシブル カバーL

2,300円＋税
（デルフォニックス）
155㎜×184㎜

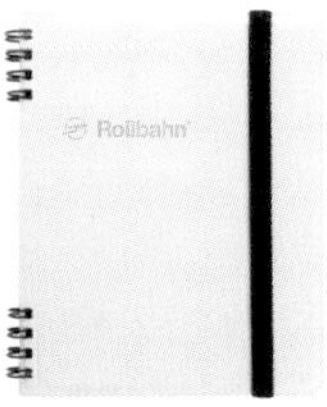

ページが着脱できる 新しいロルバーンの登場！

リング穴にスリットを入れることでリフィルの着脱が可能になった新しいロルバーン。表紙の本革のような質感は、ビジネスシーンで知的な印象を与えてくれる。カラーは4色展開。

ノートが楽しくなるアイテム16選！

スメしたい厳選アイテムを聞いてきました。文房具好きは必見です！

“映え”ノートのお役立ちアイテム！

銀座 伊東屋

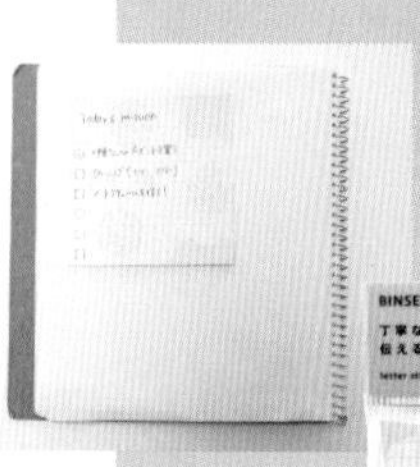

2A
リーガル スティッキーメモ
300円＋税（伊東屋）

2B
リーガル スティッキーロールメモ
1,000円＋税（伊東屋）

伊東屋オリジナル商品。罫線付きなのでTODOリストを書くのにも便利。
ロールメモは必要な長さにカットして自由に使える全面粘着タイプのふせん。スティッキーメモは裏面に固定用テープが付いており、机の上などに直接貼ることで紛失防止に。

1
プレラ 色彩逢い iro-ai
3,500円＋税（パイロット）

万年筆を初めて使う方におすすめの1本。専用コンバーターを使って自分好みのインクで筆記を楽しめます。カリグラフィー用のペン先でノートを華やかに彩ることもできます。

3
リーンクリップ M
45円＋税（サンケーキコム）

ワイヤーのみでできているため、挟んでもノートの文字を隠さないクリップ。見た目がスタイリッシュなので、ノートのワンポイントとしても、しおり代わりとしても使えます。

4
便箋ふせん M
370円＋税（キングジム）

便箋のような柄で、厚みのあるしっかりした紙のふせん。目立たせたいトピックスを書いてノートに貼ればおしゃれなページが出来あがります。仕事で渡すメモにこれを使えば華やかな印象に。

ノート歴は約10年。今の売り場で働くようになり、紙とペンの相性を知ろうと思ったのがきっかけでノートを使い始めました。日々のできごとや旅行の記録などを書いています。

K.Itoya ノート売り場 アシスタント・マネージャー
松浦めぐみさん

店舗：銀座 伊東屋 本店
住所：〒104-0061
東京都中央区銀座2-7-15
TEL:03-3561-8311
営業時間：月~土10:00～20:00
日祝10:00～19:00

オンラインストア：https://www.ito-ya.co.jp/

自分の好みの表紙と中紙を組み合わせてオリジナルノートを作る「ノートクチュール」というサービスもあります。自分だけのノートを作ってみませんか。

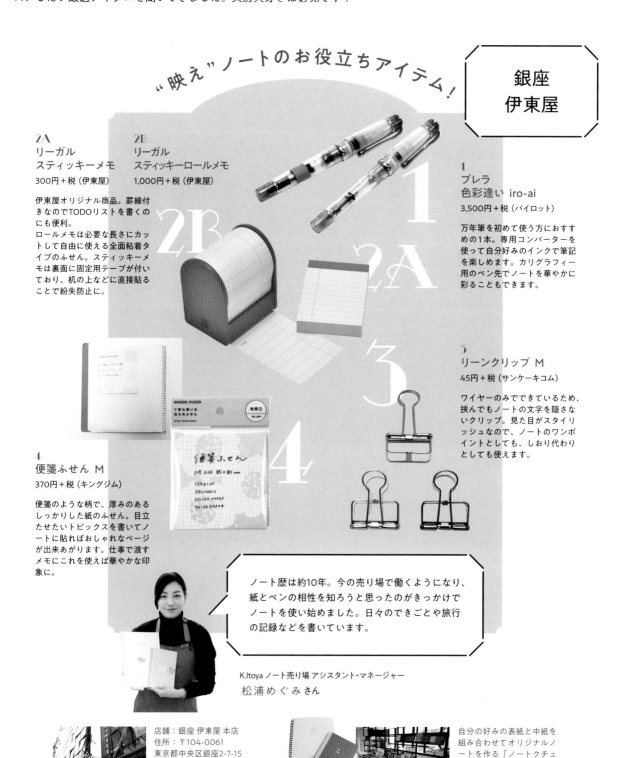

文房具屋さんがオススメする

文房具を取り扱う雑貨店の販売員さんや広報担当者さんに、今オス

デコレーションはお任せください!

東急ハンズ新宿店

6A
KITTA Basicケシキ

350円＋税（キングジム）

15㎜幅のマスキングテープは、写真やカードをノートに貼るのにぴったりなサイズ。コンパクトなので持ち運びに便利です。

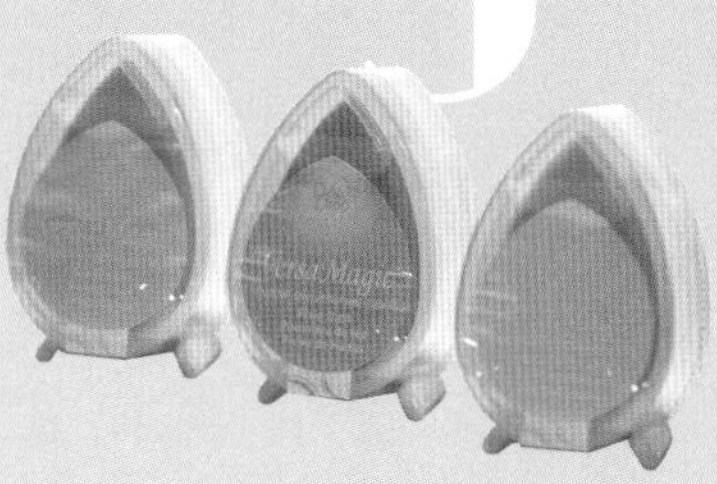

5
バーサマジック デュードロップ

260円＋税（ツキネコ）

水性顔料インクだから、ノートに裏写りしにくいスタンプ台。カラー展開も36色と豊富なのがうれしい。

6B
KITTA Seal カドフレーム（ゴールド）

350円＋税（キングジム）

カードなどの角に貼ることでフレームのようなデコレーションができるシール。

8
メイクアメモ・メモパッド

450円＋税（マークス）

韓国発の文具ブランド「ペーパーリアン」のメモパッド。種類はデイリー、ウィークリーに加えて、ウィッシュリストやレビューなど全16種類。あなたに合ったメモパッドがきっと見つかります。

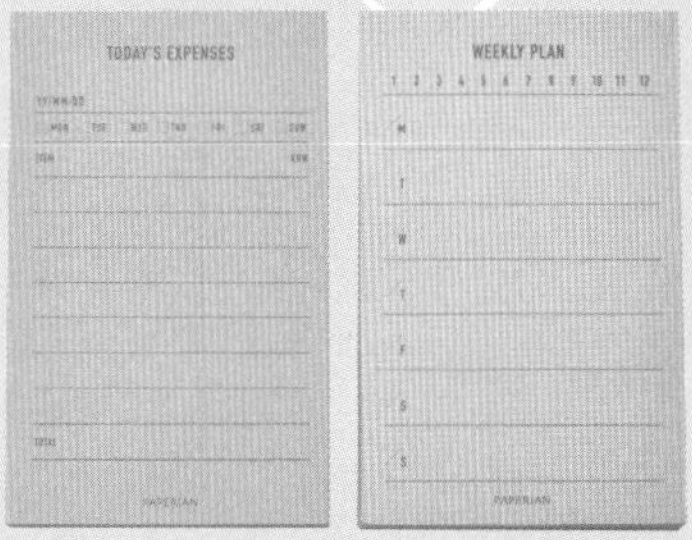

7
たてマス

150円＋税（ワールドクラフト）

イラストが縦につながるよう描かれているため、縦向きに使えるマスキングテープ。ノートのデコレーションの幅が広がります。

売り場では、手軽にデコレーションを楽しむことができるスタンプ類を豊富に扱っています。イラストを自分で描くのが苦手な方にもおすすめ。いろいろな作家さんのハンコが並んでいるので、ぜひお越しください!

8Fココロ☆オドル文具店 店主
駒場麻美さん

店舗：東急ハンズ新宿店
住所：〒151-0051
東京都渋谷区千駄ヶ谷5-24-2
タイムズスクエアビル2～8F
TEL：03-5361-3111
営業時間：10:00～21:00

オンラインストア：https://hands.net/

東急ハンズ新宿店には、売り場ごとに「店主」と呼ばれるスタッフがいます。商品に対する熱い想いと知識を持っているので、何でも聞いてください!

コンパクトな進化系文房具が勢ぞろい

渋谷ロフト

11A
学校書初紙ミニ
300円＋税（マルアイ）

11B
雪の子半紙ミニ
300円＋税（マルアイ）

11C
ミニ接着荷札
取扱注意・われもの注意
280円＋税（マルアイ）

紙製品メーカーが作った小さな学用品シリーズ。使用している紙や加工は定番商品そのままで、ミニサイズになりました。ノートに貼ったり、メッセージを書いたり楽しみが広がります。

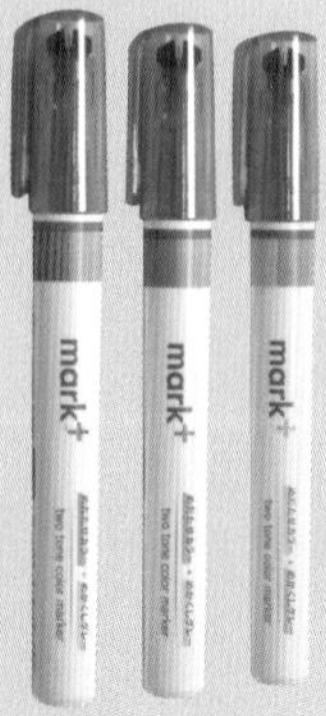

9
mark＋
（マークタス）
150円＋税（コクヨ）

1本に2色が入ったマーカーペン。カラーとグレーがセットになったグレータイプは、TODOやウィッシュリストなどをチェックする時にも使えます。

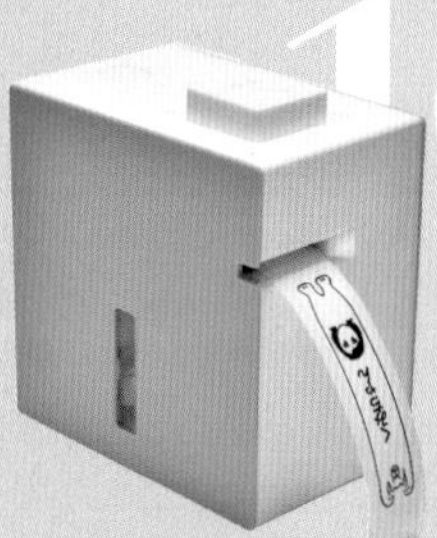

10
コクヨ
テプラLite LR30
6,100円＋税

ラベルをスマホアプリでデザインできるので、自分だけのテープが手軽に作れます。テンプレートからも作成可能で、スマホの写真を取り込んでテープにすることも可能。本体サイズが小さくなって収納もラクラク。

12B
コンパックNOTE
A5用
480円＋税（キングジム）

2つに折り曲げられる、持ち運びに優れたルーズリーフノート。全10色展開のカバーはペンホルダー付き。

12A
コンパック用
ルーズリーフ
A5用200円＋税（キングジム）

文房具売場で販売を担当していたときに文房具が好きになりました。現在はメーカーの営業さんからお話を伺う機会もあるのですが、商品の特徴や開発秘話を聞くと「文房具の進化ってすごいな」と思いますね。

広報
田中寛子さん

店舗：渋谷ロフト
住所：〒150-0042
東京都渋谷区宇田川町21-1
TEL：03-3462-3807
営業時間：10:00～21:00

春には毎年、文具コーナーや手帳コーナーの展開に力を入れています。大型雑貨店ならではのポップアップショップの展開もしていたりするので、チェックしてみてください。

オンラインストア：https://loft.omni7.jp/top

個性的な文房具で机の上も可愛く

トゥールズ お茶の水店

14
インクボトル型シャープナー
800円＋税（DUX）

創業100年を超えるドイツのメーカーの鉛筆削り。削り心地はもちろんですが、見た目が万年筆のインクボトルそっくりなところがかわいい。机に置いてあるだけで気分が上がるはず。

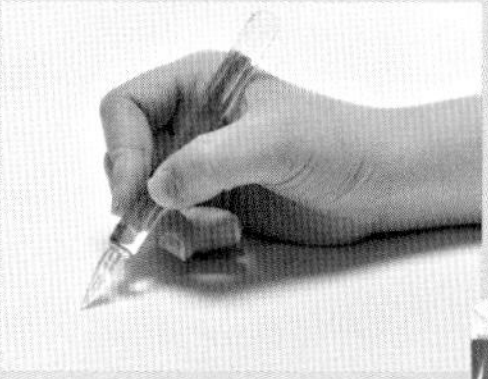

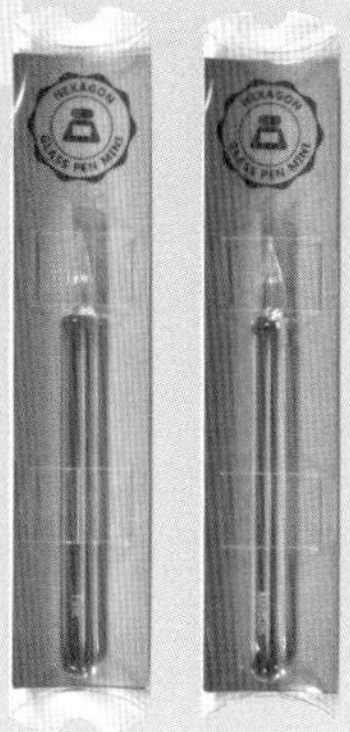

13
ヘキサゴン クリアガラスペン ミニ 細字・中字
3,000円＋税（トゥールズ）

トゥールズのオリジナルガラスペンは、一般的なガラスペンよりも短い12.5cm。ボディが六角形になっているので、鉛筆のような感覚ですらすら書けます。

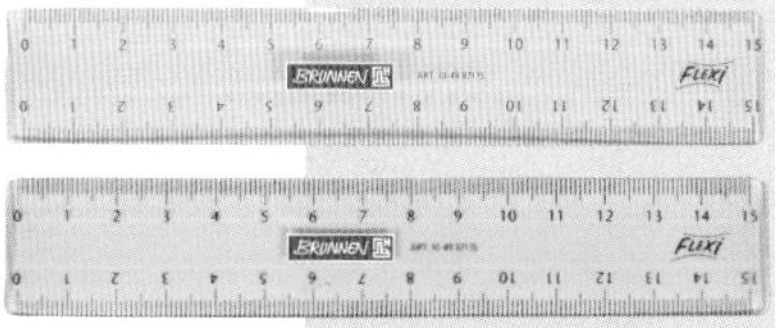

16
Flexi 15cm定規
260円＋税（BRUNNEN）

グニャッと曲がるので、立体的なものの長さも測ることができます。何より触っていて楽しいところがおすすめ。

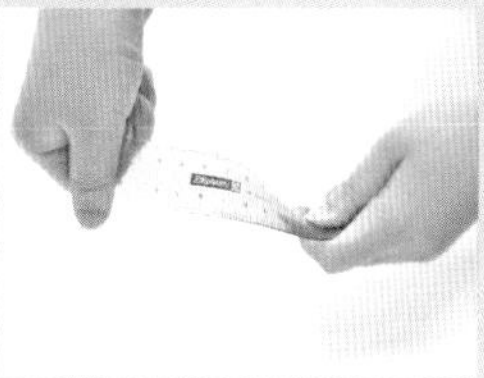

15
mt art tape 水彩絵の具セット
1,800円＋税（カモ井加工紙）

ノートに貼るだけで、水彩絵の具で描いたような風合いが出せます。絵の具のほかに、色鉛筆やクレヨンなどの種類も。

絵を描くことが好きなので、よくお店のPOPを書いています。実際に使ってみてよかった文房具は、やっぱりおすすめしたくなりますね!

スタッフ
遠藤愛さん

店舗：トゥールズお茶の水店
住所：〒101-0062
東京都千代田区神田駿河台2-1-30
TEL: 03-3295-1438
営業時間：平日 9:30～19:00
土日祝日 10:00～18:30

コピックのオフィシャルショップです。インクの補充やペン先の交換が可能です。

オンラインストア：https://www.tlshp.com/

ようこそインク沼の世界へ

季節や気分に合わせてインクの色を変えてノートライフを
楽しむ人が増えており、「インク沼」なんて言葉もあるくらい。
せっかくノートに思いを書き留めるなら、インクにもこだわってみませんか?
新たな発見や楽しみが見つかるかもしれません。
このページでは、世界にひとつのオーダーインクをつくれる
お店をご紹介します。

オーダーインクを楽しもう

「色をつくる、出会う、」をコンセプトにしたインク専門店、inkstand by kakimori。ここでは、自分の好きな色やノートに合わせたオリジナルのインクを製作できます。オーダー方法は2種類。スタッフと一緒につくる〈WITH〉と、自分で調色する〈SELF〉のどちらかを体験できます。

WITH

イメージを伝えて、スタッフと一緒に色をつくろう

所要時間 60分　料金 2,700円／瓶

※混雑時はご来店順に受付をし、開始時間目安をご案内します。なお、WITHサービスでの予約は承っておりません。

Step 1

選ぶ

色見本を見ながらつくりたい色をスタッフに伝える。イメージの元になる写真などを持参してもオッケー。

↓

Step 2

色をつくる

Step1をもとにスタッフが色の変化を見ながら調色。

↓

Step 3

試し書き

試し書きを繰り返し濃度や色調の最終調整をする。イメージ通りの色になったら注文。

↓

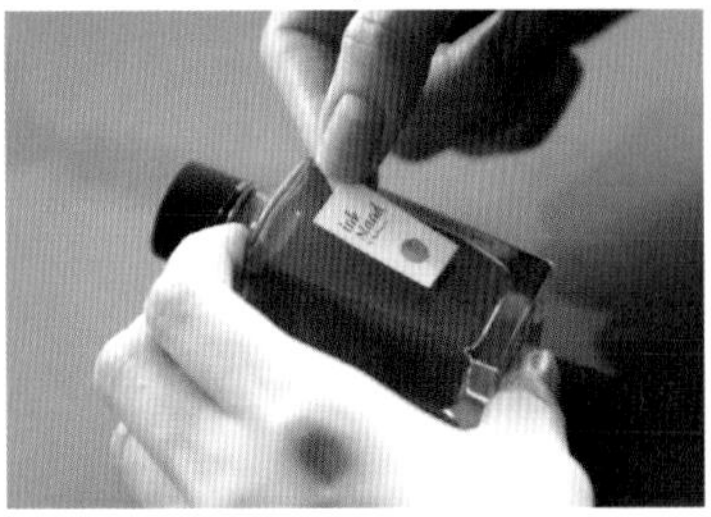

Fin.

完成

スタッフが一瓶分の調合をし、ボトル詰めをしたら完成。

インクスタンドの魅力

顔料絵具のプロである「ターナー色彩株式会社」と協力して開発した「詰りづらく混ぜられる水性顔料インク」を扱っています。そのため、少しの水ではインクが滲むことはありません。また、光にも強く染料インクよりも色褪せることなく長く保たれるのも特徴です。
オーダーインクは、好きな色を発見できたり、自分の気持ちを色で表現できる機会。自分にとって特別な色のインクは、ノートに綴る言葉をより鮮やかにし、日常をちょっとだけ豊かにしてくれるかもしれません。

書くことがもっと好きになる アイテムに出会おう

inkstand by kakimoriの近くにある姉妹店のカキモリでは、オーダーノートづくりが体験できる。これはバリエーション豊かな表・裏表紙、中紙、留め具を選び、目の前で製本してくれるサービス。さらに店内には、万年筆やボールペンなど、書くことがより楽しくなるアイテムが充実している。文房具好きには刺激がいっぱいの店内は、見ているだけで新しいアイデアが浮かぶかも。

inkstand by kakimori

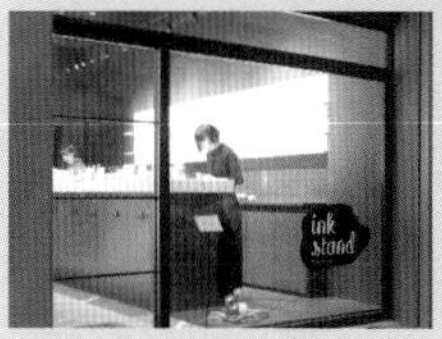

住所 〒111-0051
東京都台東区
蔵前4-20-12
クラマエビル1F
TEL 050-1744-8547
営業時間 11～19時
定休日 月曜日
（祝祭日はopen）
https://inkstand.jp/

カキモリ

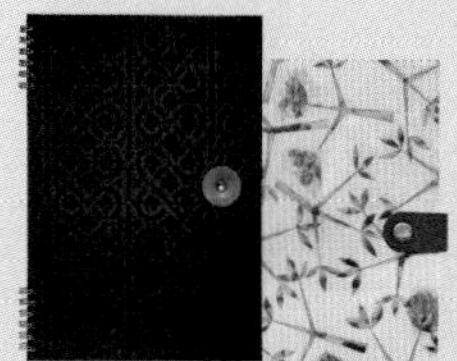

住所 〒111-0055
東京都台東区
三筋1-6-2
TEL 050-1744-8546
営業時間 11～19時
定休日 月曜日
（祝祭日はopen）
https://kakimori.com/

SELF

店頭の混色キットを使って調色し、理想の色を自分で見つけよう

所要時間 90分　料金 3,000円／瓶　※予約制

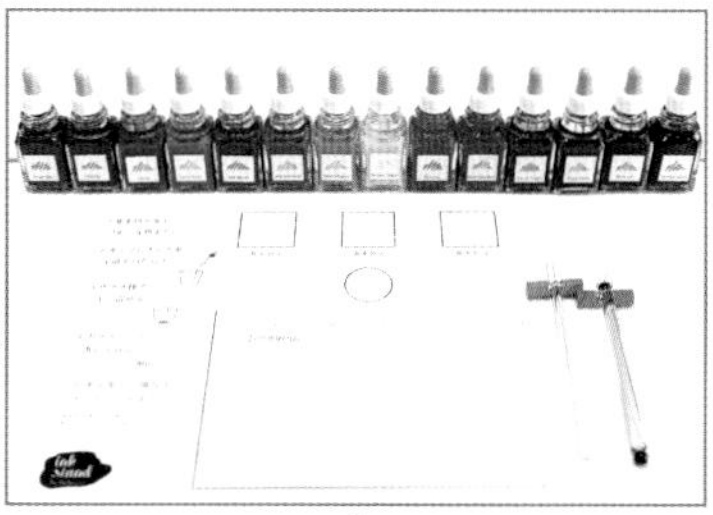

Step 1
選ぶ

17色のベースカラーから、イメージする色のベースインクを決定。混色サンプルやラベルの色も参考にして、最大3色まで選べる。

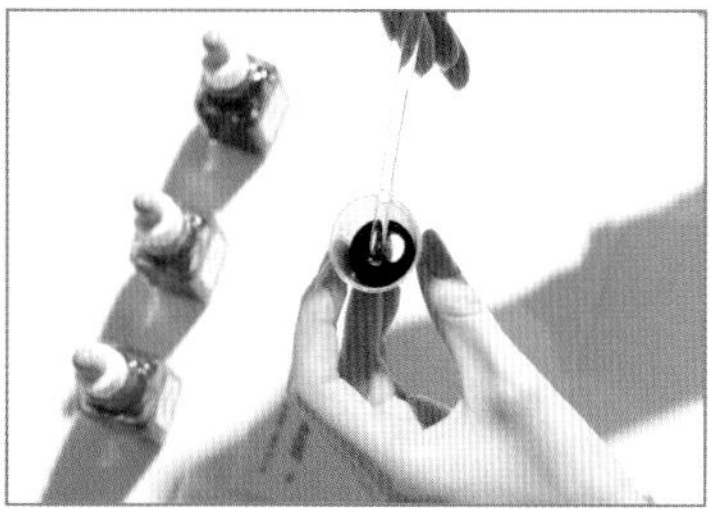

Step 2
混ぜる

スポイトで1滴ずつインクの量を調整して好みの比率を探す。

Step 3
試し書き

紙に書くとインクが淡いことも。混色と試し書きを繰り返し、インクの比率が決まったら注文。

Step 4
製作

決まったインクの比率に基づきスタッフが一瓶分の配合、製作をする。

Fin.
完成

ボトル詰めをしたら完成。

かわいい　書きやすい

ノートに合うペンはこれだ！

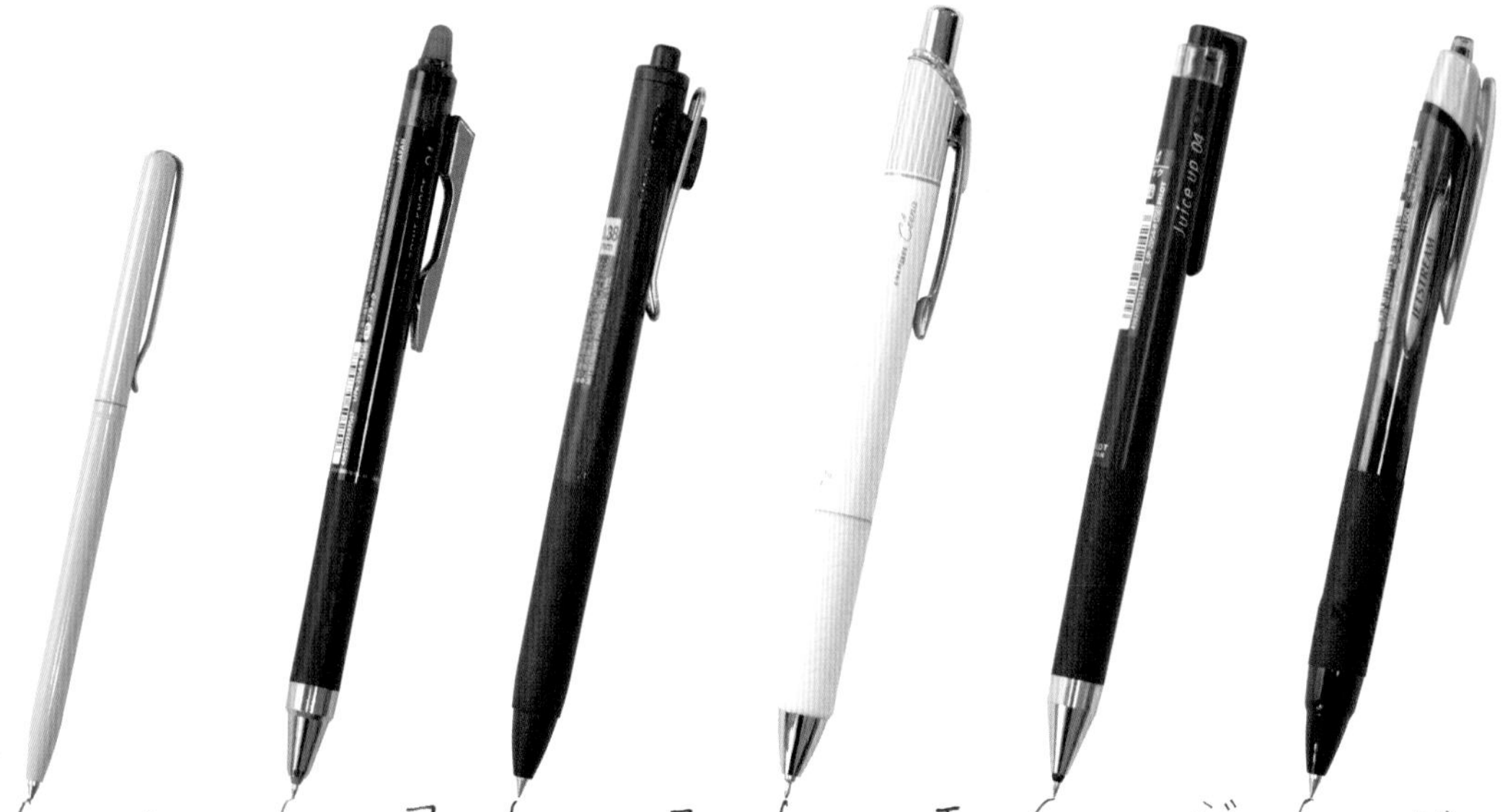

ジェットストリーム（ユニ）

筆記抵抗が少なく書きやすさ抜群で、リピーターも多い。限定ボディや多色などさまざまなラインナップから選べるのも魅力。

●150円＋税

ジュース アップ（パイロット）

濃くやわらかな書き味の水性顔料ゲルインキ。豊富なカラーバリエーションにはパステルカラーやメタリックカラーも！

●200円＋税

エナージェル クレナ（ぺんてる）

上品でクラシックな見た目がかわいい。ブルーブラックやブラウンなどのビンテージカラーも要チェック。

●200円＋税

ユニボール ワン（ユニ）

紙繊維への浸透を抑えた特殊インクはにじみづらく、はっきり濃く発色する。シンプルなデザインも好評。

●120円＋税

フリクション ポイントノック（パイロット）

これまでのフリクションよりもさらにはっきりと、なめらかに書けるように。口金やクリップが金属製になって高級感もアップ。

●250円＋税

レジェンド ボールペン リトラクタブル（デルフォニックス）

ロルバーンを販売するデルフォニックスのボールペン。繰り出し式のスリムなボディは手帳と一緒に持ち歩くのにぴったり。

●380円＋税

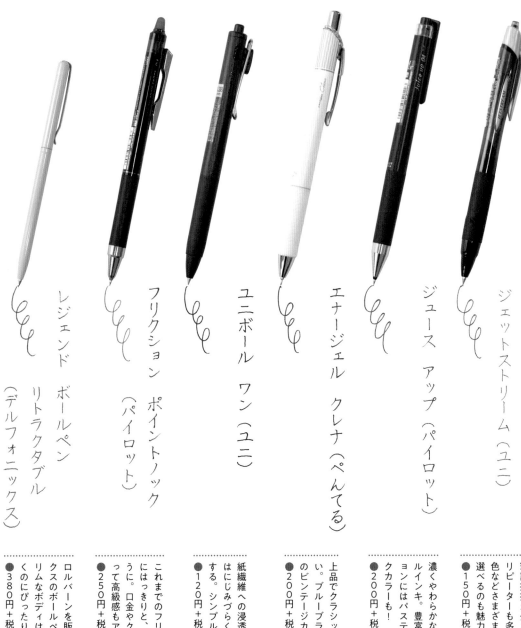

ノートを彩る筆記具にもこだわりたい！　ここではさまざまな「黒ペン」を集めて、編集部で実際に書いてみました。線の雰囲気やインクの色を見て、ペン選びの参考にしてみてください。

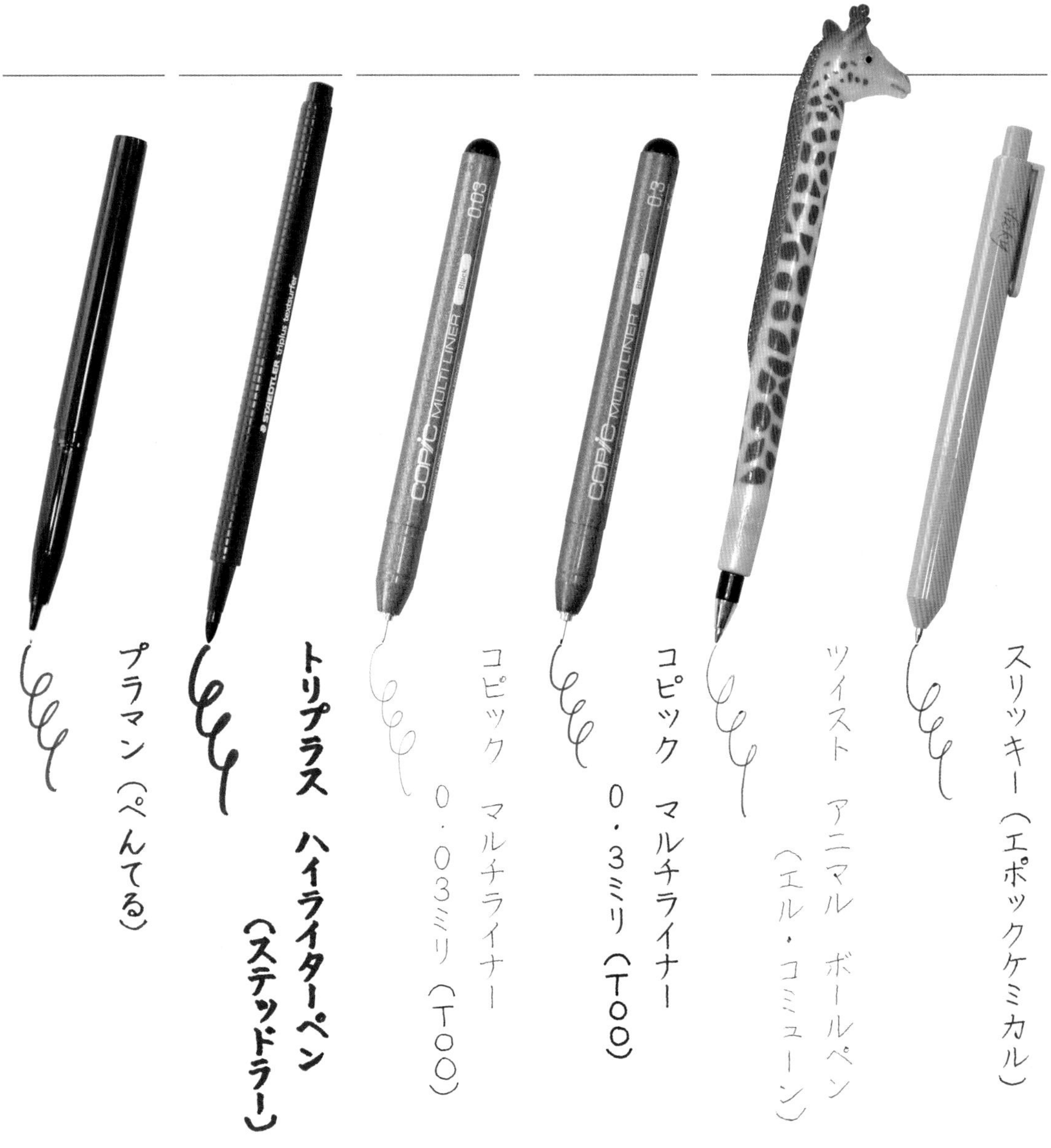

やわらかいインクの油性ボールペン。クリップまでかわいいパステルカラーの軸は全10色なので、ノートに合わせて選びたい。
●180円＋税

リアリティのある動物型ボールペン。キリンの他にもトカゲやワニ、白鳥などがある。ギフトにもおすすめの変わり種。
●480円＋税

耐水性があるため水性のペンや絵の具がにじまず、イラストの線画に使われることも多いペン。線幅も0・03㎜～1・0㎜と豊富。
●200円＋税

製図用品メーカーが販売する三角軸のペン。立てれば細く、寝かせれば太いマーカーペンになり、2種類の太さで使える。
●130円＋税

ペンと万年筆の良さを兼ね備えためずらしいペン先は優しい書き心地。レトロな茶色のボディカラーがかわいい。
●200円＋税

協力：トゥールズ お茶の水店

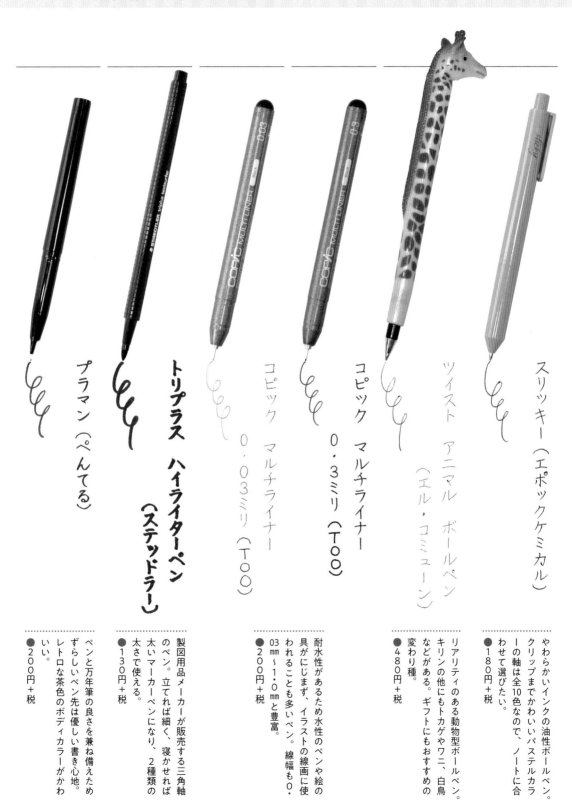

NOLTYノートの製造現場に潜入取材！

ノートが私たちの手元にやってくるまでには、
どのような作業を経ているのでしょうか。
「能率手帳」や「学生手帳」の生産を行っている新寿堂では、
手帳と同様の製本で「NOLTYノート」を生産しています。
手帳やノートができるまでの工程を取材しました。

NOLTYノートは手帳製本！

一般的なノートや書籍の製本	手帳製本
ロールの紙から印刷し、ライン製造を行う。多ロットがメイン。	商品によって仕様が異なるため、ライン製造ではない。工程数は多いが、多仕様・小ロットに対応できる。

❶印刷

紙や仕様によってインクの量などを調整しながら印刷を行います。

計測器と目視による濃度チェックが重要！

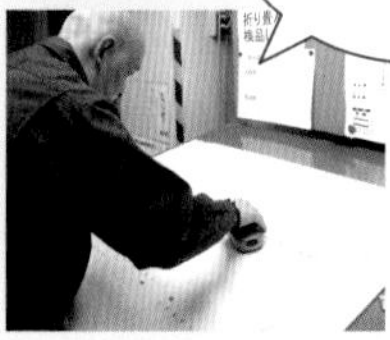

NOLTYノートは、手作業で糊を付けています。

続いて、手帳本体と表紙を貼っていきます。

❼テープ巻き

強度を上げるため、製本用の紙テープを貼り付けます。

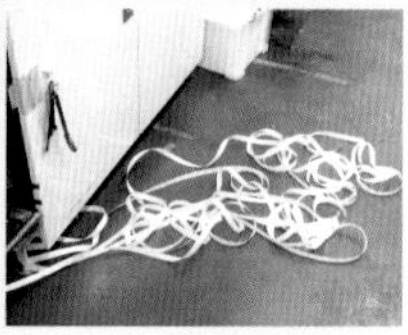

❽仕上げ断裁

手帳の断面を整えるために３辺を断裁します。

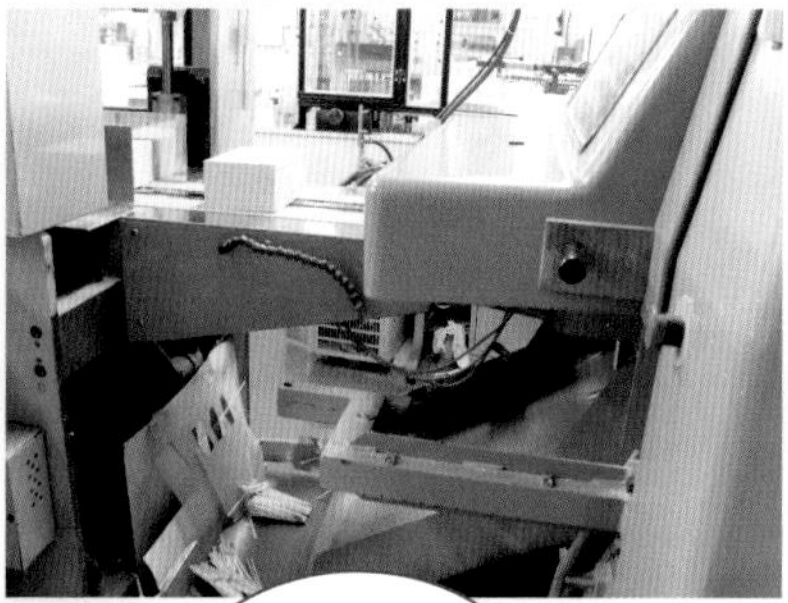

NOLTYノートはここで完成！

ここからは手帳の仕様によって加えられる工程

小口色付け・磨き

装飾を兼ねて小口に染料を塗ることで、汚れを防ぎます。さらに小口を瑪瑙（めのう）で磨き、光沢を出します。

金や銀の箔を巻くと、高級感が出ます。

インデックス加工

製本された手帳を機械で１枚１枚めくってインデックス部分をカッティングし、スタンプで印字してからコーティングします。

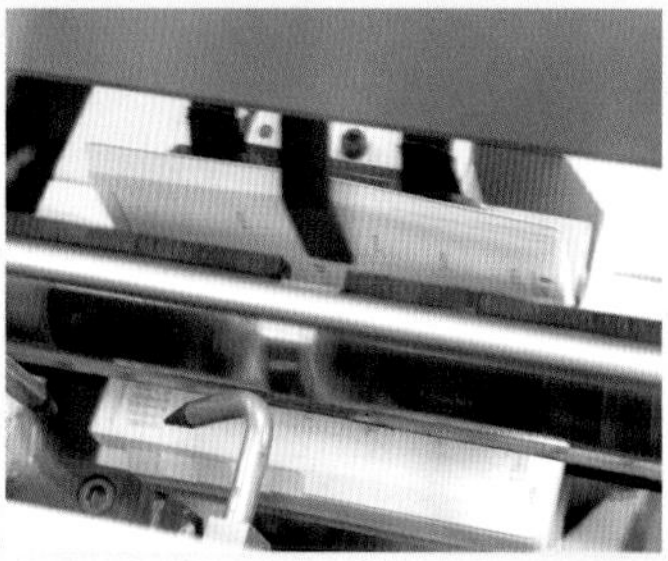

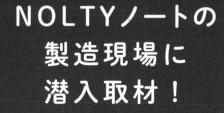

❷断裁

重なりあった紙から空気を抜き、整えます。トンボと呼ばれる断裁位置を示すマークに合わせてカットします。

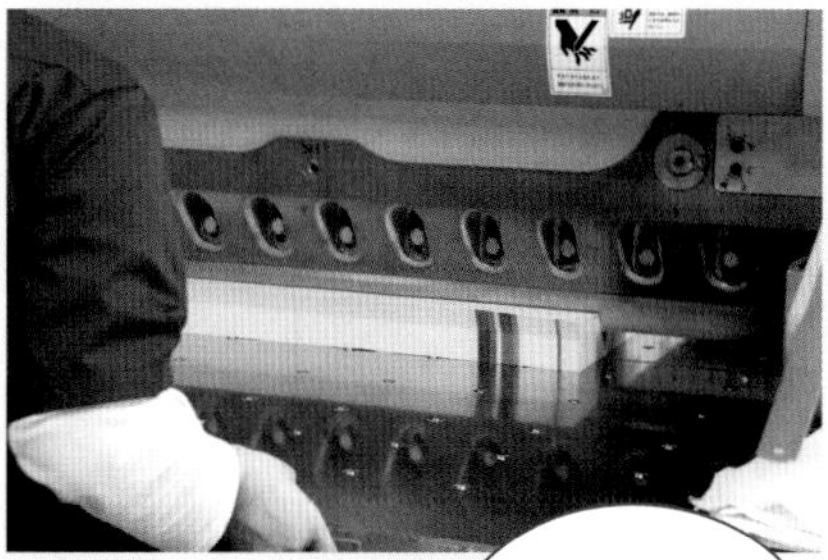

わずか0.2㎜の
トンボの真ん中を
裁断することで
現れるグレー帯。

❸折加工

カットされた紙を用紙のサイズに合わせて折っていきます。罫線や方眼のズレに注意しながら、職人が細かく検品を行います。

❹丁合

折ったもの（折本）を順に重ねて１冊分にします。ページ番号が入っているNOLTYノートには欠かせない工程です。

❺糸綴じ

重ねた折りの背を糸でかがり、綴じ合わせます。長く使用できるよう耐久性に優れた糸かがり製本を採用しています。

❻背固め・見返し貼り

背の部分を糊で固める作業は、紙の種類や気温、湿度に合わせて機械を調整しながら行います。

\\ 完成！ //

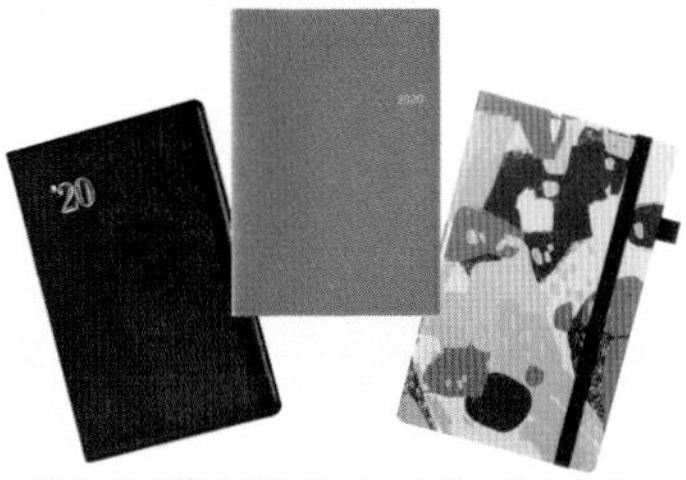

私たちの使う手帳やノートは、たくさんの工程と、職人の技やこだわり、技術によって生まれていました。皆さんの使っているノートや手帳も、きっと長い旅をしてきているはず……。

表紙くるみ

一般的なくるみ手帳は機械でくるむことができますが、できないものは手で行います。手くるみは１年間の修業を積まないとラインに入ることができないほどの職人技です。

MYノートを作る 製本してみよう！

A5・32ページのノートを作ります！

製本の方法で、オリジナルノートを作ってみましょう。好きな紙と糸を選び、1からノートを作る楽しさを体験してみてください。

用意するもの

表紙用の紙
1枚（300㎜×210㎜）
今回使用した紙
コットンペーパー
本文用の紙
8枚（300㎜×210㎜）
今回使用した紙
淡クリームキンマリ90kg
麻糸…太くて丈夫な麻糸がおすすめですが、ミシン糸や刺繍糸などでも可。
カッターマット
カッター
はさみ
目打ち
製本針…刺繍針や裁縫用の針でも代用できます。
骨ヘラ…折り目をきれいに出すために使う道具。画材屋や手芸店などで購入できます。
金物定規
プラスチック定規

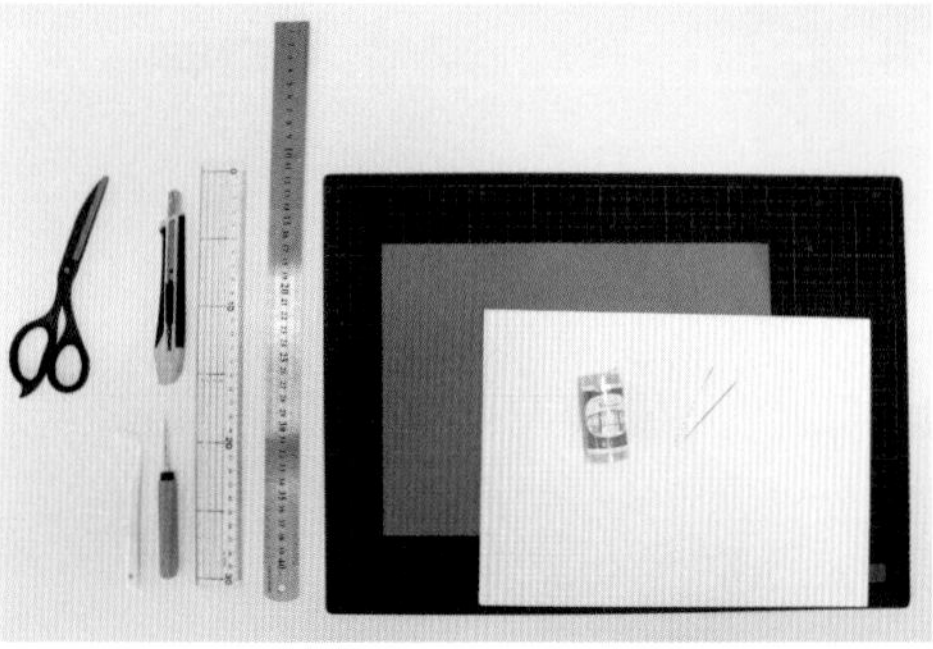

今回作り方を教えてくれた先生

古本と手製本 ヨンネ
植村愛音（うえむらあいね）さん

書店員、公共図書館、印刷会社勤務を経て2011年に「古本と手製本ヨンネ」をはじめる。本の修理や少部数の受注製本、製本教室、書店への出張ワークショップを行う。著書に『はじめて手でつくる本』（エクスナレッジ）がある。

植村先生おすすめの本文用紙

ノートや書籍には、どんな紙がよく使われているか知っていますか？　ここでは一例を紹介するので、紙選びの参考にしてみてください。

- 淡クリームキンマリ
- バンクペーパー
- スピカレイドボンド
- コンケラーレイド
- アラベール
- ダイヤペーク

パンフレットステッチでノートをつくる

紙をまとめて糸で綴じるだけのとてもシンプルな製法。使う糸や通す順番を変えるだけでも、印象が変わります。

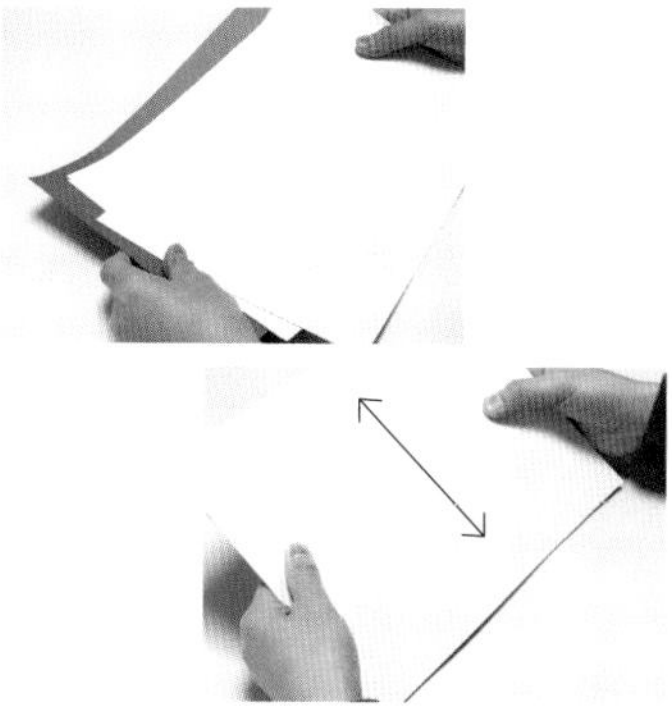

1 表紙の紙を一番下にして、紙の目（折れやすい方向）が縦になるように重ね、紙をそろえます。

2 表紙の紙で本文の紙をくるむように半分に折り、骨ヘラなどを使ってしっかりと折り目をつけます。

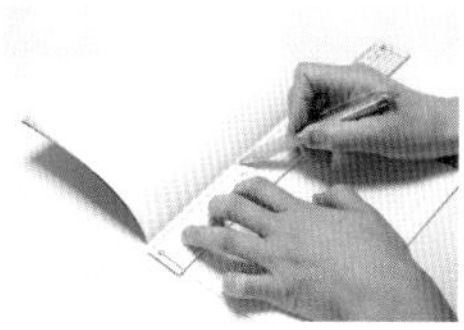

3 定規を使って、糸を通す位置のしるしをつけます。まず両端から10㎜内側のところと中心にしるしをつけ、さらにその3点の間にもしるしをつけていきます。計5か所にしるしがつきました。

❶目打ちを当てる
❷紙をたたむ
❸目打ちの先を背に出す

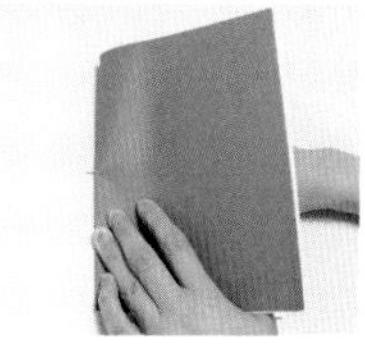

4 しるしをつけたところに目打ちの先を当てたまま、紙を折りたたんだ状態で穴を開けていきます。折りたたんで開けることで、折り目の「やま」の中心に穴を開けることができます。

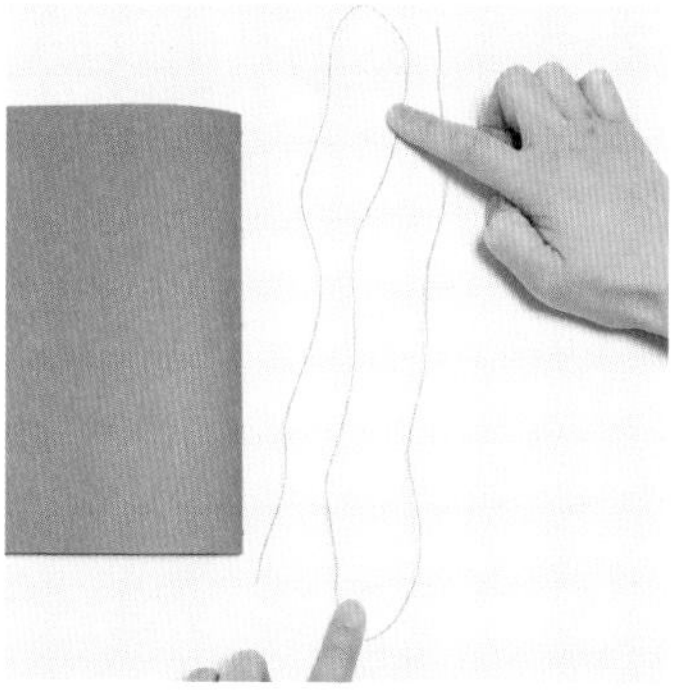

5 麻糸をノートの長辺の約3倍の長さに切ります。

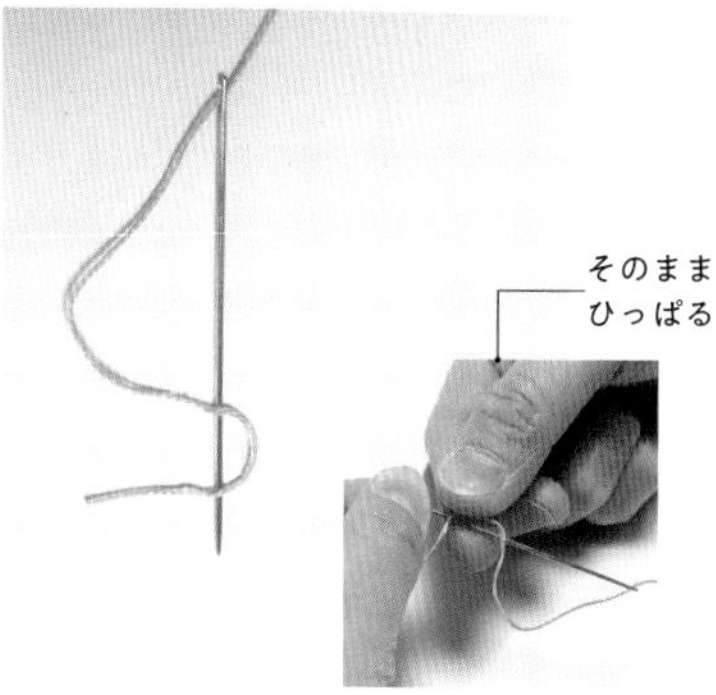

6 針穴に糸を通したあと、糸の真ん中に針を2回刺し、写真のように糸をS字にします。その後、針先から針穴の方向に糸を引っ張っていきます。

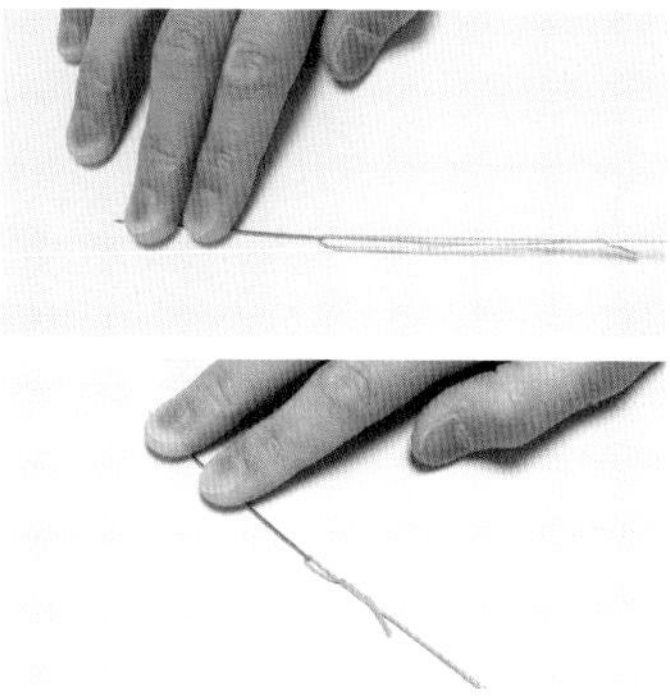

7 輪ができるので、この輪が小さくなるように長い方の糸を引っ張ります。糸が玉にならないように整えてください。

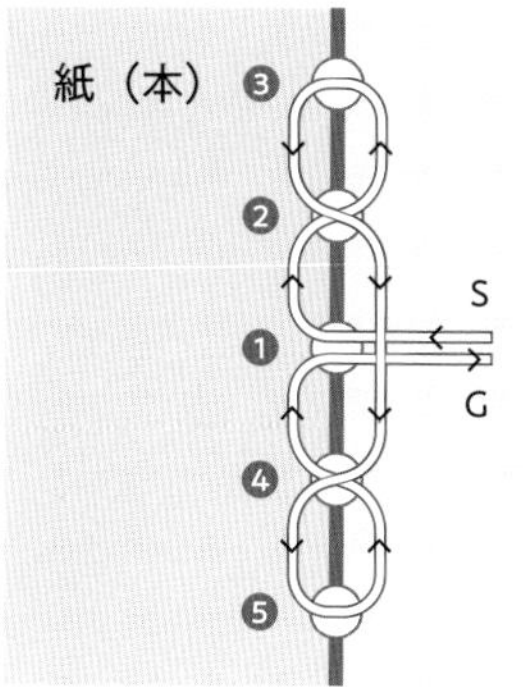

重ねた紙に上図の番号順に糸を通し、綴じていきます。手順は次の通りです。

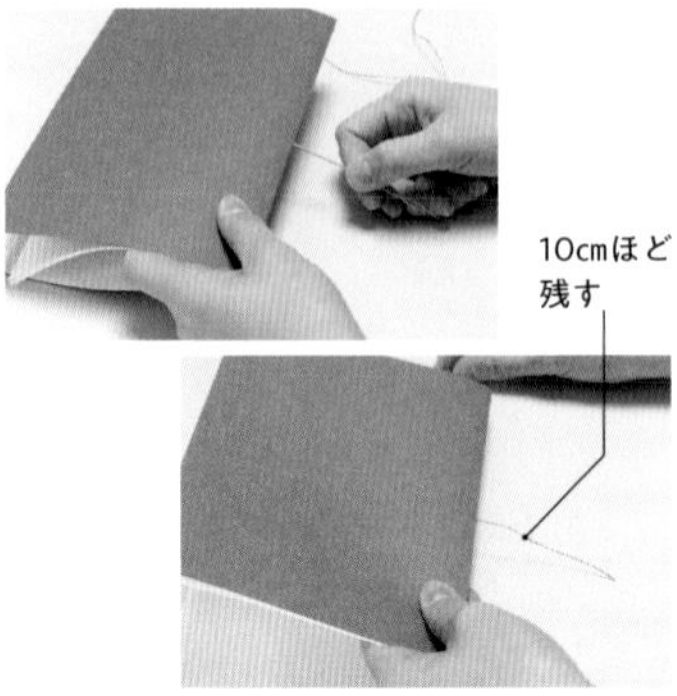

8 ❶の穴に、背面（表紙側）から内側へ糸を通します。糸は全て通すのではなく、表紙側に10cmほど残しておきます。

9 ❷の穴に内側から背面へ糸を通します。

10 ❸の穴に背面から内側へ糸を通します。

11 ❷の穴に内側から背面へ糸を通します。

12 ❹の穴に背面から内側へ糸を通します。

13 ❺の穴に内側から背面へ糸を通します。

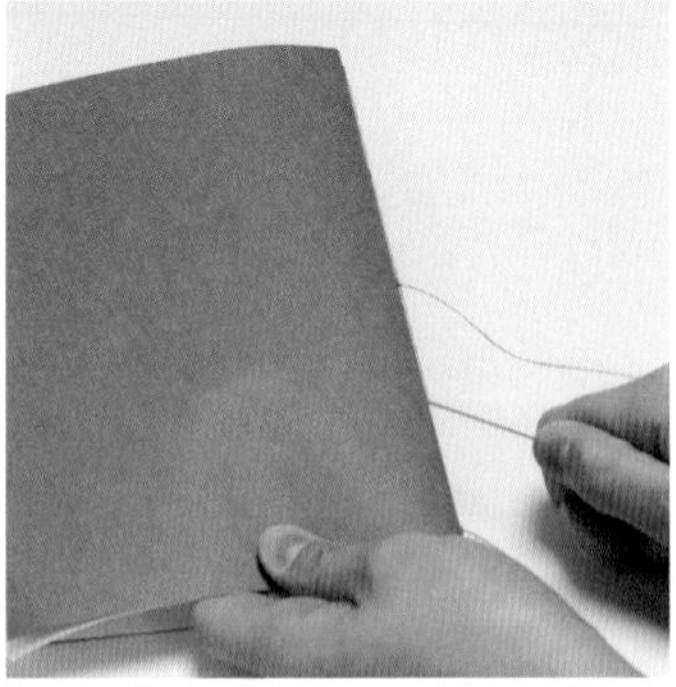

14 ❹の穴に背面から内側へ糸を通します。

15 ❶の穴に内側から背面へ糸を通します。

16 はじめに残しておいた糸と出てきた糸を結びます。このとき、紙を綴じている背面側の糸を挟んで一緒に結びます。

ワンポイント! 表紙をアレンジ! カバー付きノート

● 表紙の上下左右に+40㎜の折りしろがある紙を用意します。

● 表紙の外側にくるみ、表紙からはみ出した分だけ折り込んでから、手順通りにノートをつくります。

表紙にもう1枚紙をかぶせるだけでも、雰囲気が変わります。

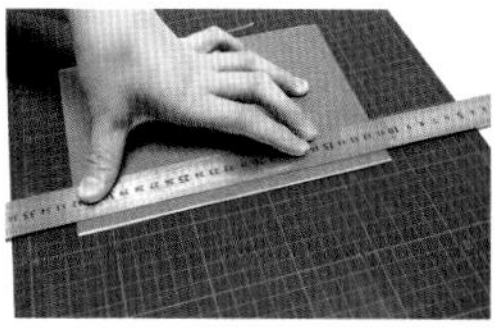

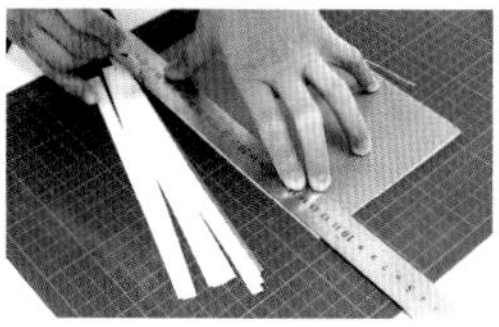

17 ノートの小口を切り落とします（化粧断ち）。カッターマットのマス目でノートの直角部分を確認し、金物定規を使い完成形のサイズに切ります。定規は切り終わるまで押さえたままです。一度に全ての紙を切ろうとせず、1枚1枚切るようにすると小口がきれいにそろいます。

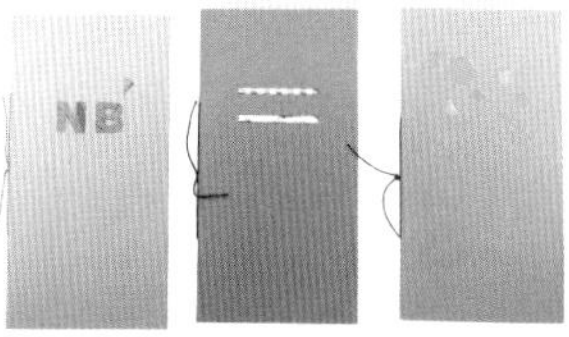

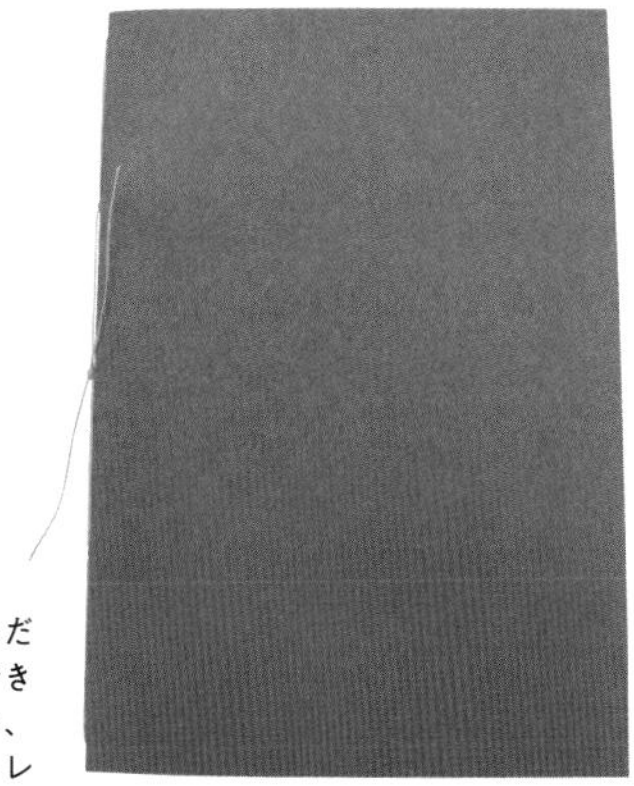

完成!

表紙の紙や糸、綴じ方を変えるだけで、雰囲気の違うノートができます。いろいろな紙や糸を使い、自分だけのノートづくりにチャレンジしてみてください!

＼ 紙が買えるお店リスト ／

紙からこだわりたい人におすすめの紙屋さんをご紹介。店舗に足を運んで選ぶのはもちろん、オンラインでの購入も可能です。あなたのお気に入りの紙を探してみてください。

洋紙

竹尾 ▶ https://takeopaper.com/
BOX&NEEDLE ▶ http://www.boxandneedle.com/
REGARO PAPIRO ▶ https://www.regaro-papiro.com/

和紙

小津和紙 ▶ http://www.ozuwashi.co.jp/
紙の温度 ▶ https://www.kaminoondo.co.jp/
いせ辰 ▶ https://www.shinisetsuhan.net/isetatsu/

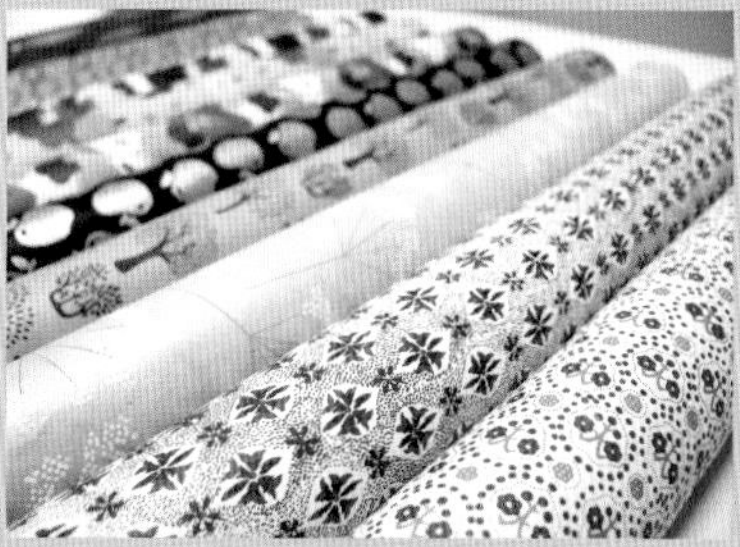

おしゃれなハンドレタリングに挑戦！

ノートにタイトルを書くときはもちろん、グリーティングカードなどさまざまなものをかわいく自分らしくアレンジができる手書きの文字。紙や筆記具を変えることでさまざまな雰囲気が楽しめます。

ねこねこ さん
Instagram：@88necoco
WEB：https://88necoco.jimdofree.com/

ハンドレタリングクリエイター。2016年から日付シートの配信を開始。現在もInstagramにてハンドレタリングを使ったモノクロ手帳を公開中。著書に『シンプルなのに驚くほどうまくいく バレットジャーナル活用術』『はじめてでもグリッドでキレイに描ける、ねこねこさんのハンドレタリング』（エムディーエヌコーポレーション）がある。

このページの使い方

- 直接なぞって書いてみる
- お手本にしながら書いてみる
- トレーシングペーパーを使って繰り返し練習する

What's ハンドレタリング？

その名のとおり「手で文字を書く」こと。文字を美しく見せる手法であるカリグラフィーの一種です。本来カリグラフィーでは専用のペンを使用しますが、今回は身近な黒ボールペンで始める簡単なハンドレタリングをご紹介します！

POINT!!

1 上下に補助線を引く
2 たての線の角度を揃える
3 同じ角度でつなげるように意識して書く
4 線を太くしたり、模様を書いたり
5 完成!

筆記体

見出しをかわいく目立たせられる!

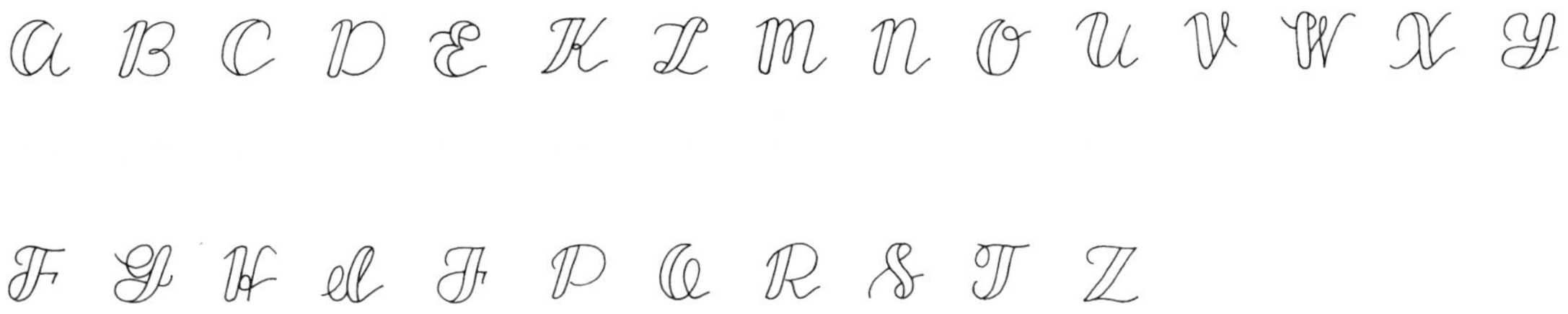

数字

ダイアリーの日付を書くときに使ってみよう

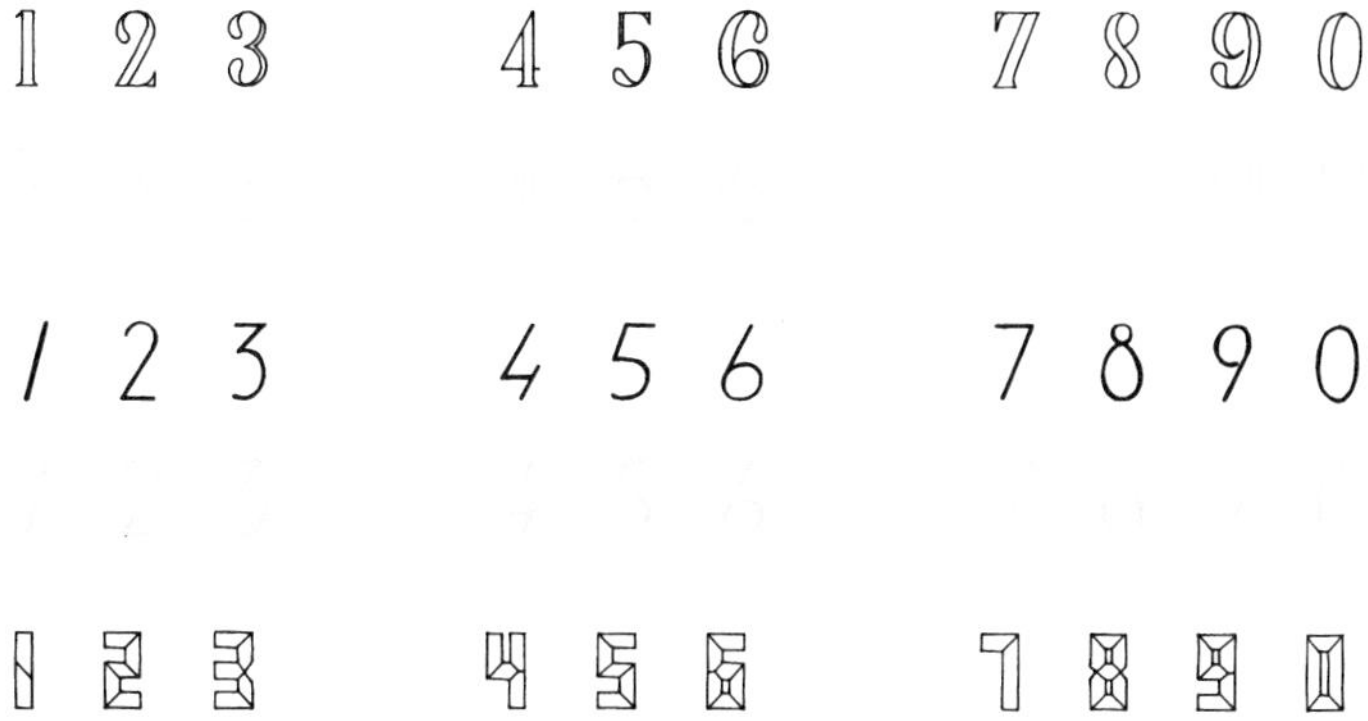

飾り

ペン1本でデコレーションができる!

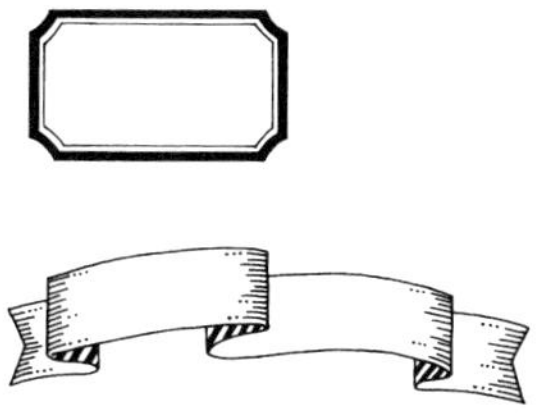

毎日がもっと輝くみんなのノート術

2020年5月30日　初版第1刷発行
2020年6月20日　　　第2刷発行
編　者　日本能率協会マネジメントセンター

発行者　張士洛
発行所　日本能率協会マネジメントセンター
〒103-6009
東京都中央区日本橋2-7-1　東京日本橋タワー
TEL 03(6362)4339(編集)／03(6362)4558(販売)
FAX 03(3272)8128(編集)／03(3272)8127(販売)
http://www.jmam.co.jp/

装　丁　小口翔平＋喜來詩織（tobufune）
編集協力　株式会社アプレ コミュニケーションズ（済藤玖美、瀧川美里）
本文デザイン　平塚兼右、矢口なな（PiDEZA Inc.）
撮　影　近藤みどり／羽渕みどり／吉田庄太郎
印刷所　シナノ書籍印刷株式会社
製本所　株式会社新寿堂

ISBN978-4-8207-2798-9　C0034
落丁・乱丁はおとりかえします。
PRINTED IN JAPAN